CARTHAGE
Le site archéologique

«Celui qui entrerait dans Carthage tous les jours de sa vie et s'occuperait seulement d'y regarder, trouverait chaque jour une nouvelle merveille qu'il n'aurait pas remarquée auparavant ».

El Bekri (XIe s.)

Pour mieux guider le lecteur, nous avons jugé utile de distinguer les sites dont la visite est possible (en corps normal dans le texte) des vestiges non visibles, disparus ou d'accès interdit (en corps plus petit).

On trouvera à la fin du guide un lexique des principaux termes techniques utilisés.

Deuxième éditions : mai 1995

ISBN:9973-700-83-X

Abdelmajid ENNABLI et Alain REBOURG

CARTHAGE
Le site archéologique

Photographies
Helmuth Nils LOOSE

céRès
EDITIONS

CARTHAGE ET LA MEDITERRANEE

La naissance de Carthage : légende et réalité

La fondation de Carthage, difficile à dater précisément -IXe ou VIIIe s. av. J.-C.-, a décidé du destin de la Méditerranée occidentale pour de nombreux siècles. Selon la tradition, en 814, Elissa, princesse de Tyr, en Phénicie (Liban actuel), écartée du pouvoir, s'étant enfuie avec des partisans, au terme d'un long périple, débarque sur le site de Carthage, dont l'intérêt stratégique ne peut échapper aux Phéniciens qui fréquentent d'ailleurs depuis deux ou trois siècles ces rivages. Ils décident d'établir une ville sur ce promontoire facile à défendre et permettant de contrôler le passage entre les deux bassins de la Méditerranée. Mais les coutumes locales interdisent aux étrangers d'acquérir un terrain plus vaste qu'une peau de bœuf. Elissa, rusée, découpe la peau en fines lanières. Il ne reste plus qu'à fonder la ville : les Phéniciens déterrent d'abord une tête de bœuf, symbole d'une vie de labeur et de servitude. Mais plus loin,

Didon, en prêtresse, s'apprête à offrir un sacrifice (*Enéide*, IV, 633-647). Début du Ve s. Bibliothèque Vaticane, manuscrit Vat. Lat. 3225, f° 33v.

ils trouvent une tête de cheval, présage d'un destin guerrier. La ville est donc bâtie sur cet emplacement et reçoit le nom de *Qart Haddasht* (la nouvelle cité). Ses débuts sont difficiles, marqués par des heurts avec les autochtones, comme le rapporte la légende : le roi berbère Hiarbas, ébloui par la beauté et l'intelligence d'Elissa, veut l'épouser ; en cas de refus, il exterminera les Carthaginois. Pour éviter des épreuves à sa jeune patrie, Elissa se suicide sur un bûcher.

Le destin d'Elissa et sa fin tragique deviendront source d'inspiration pour les poètes et les artistes. Le latin Virgile, le premier, en tirera parti. Associant la mort de la princesse phénicienne à l'histoire d'Enée, il en fera l'héroïne de l'*Enéide* sous le nom de Didon, liant ainsi les origines de Rome et de Carthage. Les épisodes de la peau de bœuf et de la tête de cheval sont des contes grecs : ils reposent sur un jeu de mots (*byrsa* en grec = peau de bœuf) et sur la présence d'un cheval au revers des monnaies de Carthage. La date de la fondation de Carthage n'a pas encore été confirmée par les fouilles ; pour l'instant, les indices archéologiques ne remontent pas au-delà du VIIIe siècle av. J.-C.

Carthage à la conquête de la Méditerranée

Carthage grandit lentement ; de nombreuses autres colonies phéniciennes existent sur les côtes de Méditerranée occidentale : à Malte, en Sicile, en Sardaigne, en Espagne et en Afrique du Nord. Mais, peu à peu, Carthage supplante Tyr et dès la fin du VIe siècle, tous les comptoirs phéniciens acceptent l'hégémonie de Carthage, bientôt sans rivale en Afrique. Cependant, ici et là, en Méditerranée occidentale, ses ambitions se heurtent aux Grecs et la Sicile devient le théâtre de guerres répétées. Les tentatives d'expansion carthaginoises subissent un coup d'arrêt à Himère (Sicile) en 480. Après cette défaite, Carthage s'applique, durant plus d'un siècle, à reconstituer sa puissance. Cantonnée jusque-là au littoral nord-africain, elle se taille, au prix de luttes avec les autochtones, un territoire couvrant à peu près toute la Tunisie.

Eliminée un temps du commerce méditerranéen, elle se tourne vers des horizons plus lointains. Traversant le détroit de Gibraltar (les *Colonnes d'Hercule*), Hannon longe les côtes occidentales de l'Afrique et atteint le golfe de Guinée ; Himilcon, lui, pousse jusqu'aux Iles Britanniques. Ces expéditions amènent le contrôle de la route de l'or et de l'étain.

Carthage se trouve, lors de son apogée aux IVe et IIIe siècles, à la tête d'un empire dispersé, mais uni par la mer, avec de solides assises continentales. République commerçante, elle est dotée d'une constitution originale. La ville de cette époque, qui suscitait l'admiration des l'admiration des autres peuples, a laissé peu de traces matérielles. Elle aurait été défendue par un rempart de 34 km, qui n'a pas été retrouvé. A l'intérieur, des maisons de plusieurs étages se serraient le long de rues descendant des hauteurs vers la mer. Les fouilles récentes, en plusieurs points du site, sont d'un apport considérable pour la connaissance de cette période, longtemps vue à travers le prisme déformant des Grecs et des Latins.

Les guerres puniques

Cependant lorsque les Carthaginois s'installent à Messine, en 270 av. J.-C., ils se retrouvent face aux Romains établis à Rhegion, de l'autre côté du détroit, ce qui conduit à l'affrontement, en trois longues guerres. Carthage sortira vaincue de ces guerres puniques (de *Poeni*, nom latin des Carthaginois). A plusieurs reprises, elle manque l'emporter, notamment lorsque le général Hannibal écrase les légions romaines à Trasimène et à Cannes (Italie), en 216 avant J.-C. Mais sa marche vers Rome est interrompue par la défaite de son frère Asdrubal et le manque de secours qui l'obligent à se replier. Les légions de Scipion l'Africain, renforcées par les troupes du roi berbère Massinissa, réussisent à vaincre l'armée qu'il avait improvisée en toute hâte.

En fait la puissance de Carthage n'est pas sans receler des germes de faiblesse. Faute d'avoir compris certaines aspirations, Carthage se trouve à plusieurs reprises près de sa perte. Tout comme l'avait tenté le Syracusain Agathocle, les Romains Régulus puis Scipion, conscients des appuis qu'ils pouvaient trouver, n'hésitent pas à porter la guerre en Afrique ; ces opérations voient la défaite des Cathaginois à Zama (202 avant J.-C.).

Au lendemain de ce désastre, Hannibal veut remédier aux maux dont souffre sa patrie mais il ne réussit qu'à dresser contre lui l'aristocratie et doit s'exiler. Cela fait l'affaire de Massinissa qui, régnant sur un territoire couvrant à peu près toute l'Algérie, avec la bienveillante neutralité de Rome, entreprend la conquête du territoire punique, pour faire de Carthage la capitale d'un vaste royaume. Rome prend alors conscience du danger. Elle ne peut le prévenir qu'en condamnant Carthage à la destruction : *delenda est Carthago*. Celle-ci résiste trois ans (149-146 av. J.-C.) avant de succomber. Sophonisbe, femme du dernier général carthaginois, refuse de se rendre : elle se jette dans le feu avec ses deux fils, renouvelant le geste d'Elissa.

En 146 avant J.-C., Scipion Emilien, en pleurant devant son ami l'historien Polybe, sur la fragilité des grandeurs humaines, exécute l'ordre de détruire entièrement la ville ; il fait labourer son sol, répandre du sel et le déclare maudit. En même temps, Rome annexe le territoire carthaginois et constitue sa province d'Afrique (*Africa*), avec pour capitale Utique.

Portrait officiel en marbre de Caïus César, petit-fils d'Auguste, à l'âge de 14 ans environ, au moment où il vient de revêtir le pontificat, vers 6 av. J.C. Musée de Carthage.

La seconde naissance de Carthage

Dès 121 avant J.-C., le réformateur C. Gracchus décide d'implanter une colonie près de la cité maudite, mais la politique intérieure de Rome voue cette tentative à l'échec. César, conscient de l'importance stratégique du site, conçoit le dessein de relever Carthage de ses cendres ; l'entreprise verra le jour sous Auguste.

La seconde Carthage porte le nom de ses fondateurs : *Colonia Julia Karthago* et devient la capitale d'une vaste et riche province. L'histoire de Carthage aux deux premiers siècles de notre ère est fort paisible. Les annales romaines n'ont conservé que le souvenir du complot du proconsul Pison en 70 ou de troubles religieux liés au culte de Caelestis, vers 180. Mais c'est principalement de cette époque que datent les monuments conservés, notamment ceux de la vaste campagne de construction encouragée par Antonin le Pieux au milieu du IIe s.

Les Sévères, empereurs d'origine africaine (193 à 235) comblent Carthage de leurs faveurs. Un événement grave survient en 238 : le proconsul Gordien proclamé empereur par les habitants de Thysdrus (El Jem), Carthage lui apporte son soutien contre Maximin le Thrace. La IIIe légion *Augusta* ravage alors la ville. De même, en 311, lors de l'usurpation de Domitius Alexander, Maxence envoie une expédition punitive qui anéantit en grande partie la ville. Mais, peu de temps après, il est vaincu et tué par Constantin. Carthage est somptueusement rebâtie. La période qui suit, particulièrement faste, voit la ville se couvrir de riches maisons qui attestent de l'opulence de la ville.

Longtemps épargnée par la crise qui secoue l'Empire romain depuis le milieu du IIIe siècle, Carthage finit par être entraînée dans la tourmente générale. En 439, elle est une proie facile pour les Vandales de Genséric. S'ils commettent de nombreuses violences, les rois vandales s'installent néanmoins dans le cadre de vie des Romains. En 530 Carthage rentre dans le giron de Byzance, grâce au général Bélisaire. On tente alors de ranimer la civilisation romaine, mais la cité est déjà très éprouvée.

La conquête musulmane amène à la disparition du rôle de Carthage. Conquise une première fois par Hassan Ibn Nooman en 685, elle est reprise par les Byzantins en 697. Mais en 698, les Musulmans s'en emparent pour toujours. Kairouan, Madhia et Tunis devenant tour à tour capitales, Carthage n'aura plus l'occasion de s'illustrer aux yeux de l'histoire sinon lors du passage de saint Louis puis de Charles Quint. La renaissance de Carthage comme banlieue résidentielle de Tunis est récente ; elle abrite également le palais présidentiel.

La campagne de Charles-Quint à Tunis, 1535. Gravure de Franz Hogerberg, fin du XVIe s. Bibliothèque publique et universitaire de Genève.

Le legs de Carthage

Carthage, des diverses époques de son histoire, a donné à la pensée et aux arts de nombreux noms : Magon, père de l'agronomie ; Clitomaque (ou Asdrubal), qui fréquenta les écoles d'Athènes ; Apulée (IIe s. ap. J.-C.), auteur des *Florides* et surtout des *Métamorphoses*, et d'autres moins connus comme Cornutus, Florus et Fronton, maître et ami de Marc Aurèle.

Mais Carthage fut surtout une grande métropole du christianisme naissant. Sa terre, couverte de basiliques, fut riche en martyrs. Rien d'étonnant que s'y soit développée la première école littéraire chrétienne de langue latine. Dès la fin du IIe siècle, celle-ci s'illustra avec Tertullien qui, dans ses écrits s'attaqua avec une fougue toute africaine aux ennemis de l'Eglise. Minucius Felix, lui, écrivit un dialogue, l'*Octavius*, apologie du christianisme. Mais le plus grand de tous les penseurs et écrivains de cette école fut Augustin. Né païen à Thagaste (Algérie), il étudia à Carthage, Rome et Milan, où il devint rhéteur en 383. S'étant converti, il rentra en Afrique et devint évêque d'Hippone en 396. Mort en 430, il a laissé une œuvre considérable, d'où émergent la *Cité de Dieu* et les *Confessions*.

REPERES CHRONOLOGIQUES

avant J.-C.

814	Fondation légendaire de Carthage par Elissa-Didon.
480	Les Carthaginois sont vaincus à Himère (Sicile).
vers 450	Périples d'Hannon et Himilcon.
264 - 241	Première guerre punique.
219 - 201	Deuxième guerre punique
202	Scipion bat Hannibal à Zama.
149 -146	Troisème guerre punique.
146	Destruction de Carthage. L'Afrique province romaine.
122	C. Gracchus tente de fonder une colonie à Carthage.
47-46	Campagne de César en Afrique.
29	Auguste renforce la colonie de Carthage

après J.-C.

193	Un empereur africain : Septime-Sévère.
238	Gordien empereur ; campagne de Capellien.
258	Martyre de Cyprien
374 - 383	Augustin à Carthage.
439	Prise de Carthage par le roi Vandale Genséric.
411	L'assemblée de Carthage condamne le donatisme.
533	Reconquête byzantine.
670	Fondation de Kairouan
698	Carthage est définitivement prise par les Musulmans.
916	Mahdia devient capitale, sous la dynastie des Fatimides.
1270	Louis IX, roi de France, meurt sous les murs de Tunis.
1249	Tunis devient capitale, sous la dynastie hafside.
1535	Prise de Tunis par les Espagnols.
1574	La Tunisie est incorporée à l'empire ottoman.
1881	Début du protectorat français.
1956	Indépendance de la Tunisie.

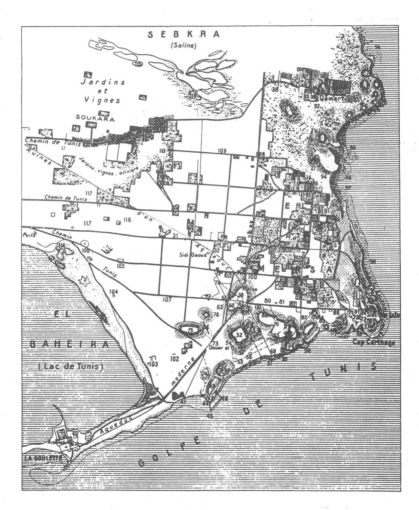

Plan de C.T. Falbe, consul général du Danemark à Tunis, publié en 1833. Avec ce document, qui demeure une référence, Carthage entrait dans l'ère de la recherche archéologique.

CARTHAGE REDECOUVERTE

Au Moyen Age, de nombreux monuments romains sont encore debout et identifiables ; deux visiteurs, El Bekri au XIe siècle et El Idrissi au XIIe siècle, en ont laissé des descriptions émerveillées.

Après le temps des voyageurs (dont Chateaubriand, en 1807, déçu de trouver un site aussi désolé) et des collectionneurs, C. T. Falbe, consul du Danemark, est le premier à s'intéresser à la topographie de la ville antique ; en 1833, il publie un plan remarquable avec un opuscule intitulé *Recherches sur l'emplacement de Carthage*. En 1837 est créée la *Société pour l'exploration de Carthage*, qui prévoit la vente des découvertes pour financer les fouilles. Ces recherches sont conduites par certains diplomates, comme le consul anglais sir T. Reed. Son compatriote N. Davis, auteur de *Carthage and her Remains* (1861), envoie une série de mosaïques au British Museum.

A la même époque, G. Flaubert vient s'imprégner du site pour terminer *Salammbô* ; arrivé à la fin d'avril 1858, il séjourne plus d'un mois, parcourant les ruines pendant des journées entières.

Les chercheurs sont alors de plus en plus nombreux à s'intéresser à Carthage. Ch.-E. Beulé entreprend en 1859 des travaux à Byrsa, aux abords des ports et dans les nécropoles. Daux, ingénieur envoyé par Napoléon III en 1865-1867, dessine une reconstitution fantaisiste de Carthage. E. de Sainte-Marie récolte plus de 2 000 inscriptions, destinées au Musée du Louvre ; mais, à la suite d'un naufrage, plusieurs centaines gisent au large de Toulon.

En juin 1875, des missionnaires sont envoyés d'Alger par le Cardinal Lavigerie pour veiller sur le tombeau de saint Louis, où une chapelle a été érigée en 1841 sur ordre de Louis-Philippe ; parmi eux, le Père A.-L. Delattre (1850-1932). Il entreprend de nombreuses fouilles pour remettre au jour les vestiges d'une chrétienté dont on espère alors la renaissance : dès 1878, il dégage la basilique de Damous-el-

Karita ; en 1880, il ouvre un autre chantier à Bir Ftouha. Le Musée Lavigerie recueille les objets des fouilles qui vont se développant tout autour de la colline, à l'ombre de la primatiale Saint-Louis achevée en 1893.

A partir de 1881, année de l'occupation de la Tunisie, de nombreux officiers français s'intéressent à l'archéologie, fournissant rapports et objets. En 1882, un décret beylical fonde le Service des Antiquités, réglementant la recherche archéologique ; un musée est créé dans l'ancien palais du Bardo -appelé lors de son inauguration, en 1888, musée Alaoui-. Cette institution favorisera le regroupement de nombreuses mosaïques, sculptures et inscriptions à Tunis et leur évitera de quitter le pays.

Dès lors, pendant près de 80 ans, Carthage sera la chasse gardée des archéologues français. P. Gauckler (1866-1911), durant treize ans directeur des Antiquités, explore les nécropoles puniques, avec une rare conscience scientifique. En 1901, A. Audollent publie la première synthèse sur Carthage romaine. Trente ans plus tard, Ch. Saumagne restitue la cadastration de la ville romaine. Pendant toutes ces années, de nombreuses fouilles sont menées, notamment par A. Merlin et L. Poinssot ; mais elles consistent souvent en dégagements rapides. La fouille des grands thermes est entreprise après la dernière guerre mondiale par G.-Ch. Picard, directeur des Antiquités de 1941 à 1955, qui ouvre également d'autres chantiers. P. Cintas étudie le tophet et publie son *Manuel d'archéologie punique*.

Après l'Indépendance, la Tunisie souhaite prendre en main son archéologie, l'Institut National d'Archéologie et d'Art (INAA) succédant à la Direction des Antiquités. Des fouilles sont menées en différents points de Carthage ; souvent hâtives, elles auront cependant pour mérite d'éviter l'occupation de certains terrains.

En 1972, afin de lutter contre l'urbanisation intensive, l'INAA lance une campagne internationale pour sauvegarder et mettre en valeur le site de Carthage. Une vingtaine de terrains ont été fouillés dans ce cadre par des équipes tunisiennes, allemandes, américaines, anglaises, canadiennes, danoises, françaises, italiennes, polonaises, suédoises. Cette campagne, patronnée par l'Unesco, officiellement terminée en 1992, a renouvelé entièrement notre vision de la Carthage punique et romaine, comme nous le verrons tout au long de ce guide. La mise en œuvre du Parc National de Carthage-Sidi Bou Saïd (545 hectares) constitue l'une des grandes priorités de la politique culturelle du gouvernement tunisien.

Jusqu'à une date récente, Carthage fut seulement vue comme la rivale malheureuse de Rome et son histoire étudiée par des spécialistes du monde classique ; or, pour sa très haute antiquité, elle est le fruit d'une civilisation profondément sémitique, certes accueillante aux apports étrangers. Aujourd'hui, rompant avec cette vision, l'archéologie restitue patiemment sa personnalité à la Carthage punique, médiatrice entre Orient et Occident. Pour la Carthage romaine et chrétienne, dont les monuments découverts anciennement n'ont pas tous été réétudiés, il reste encore à mieux dessiner sa topographie et le cadre de sa vie quotidienne, qui nous échappent en maints endroits.

Plan général de Carthage moderne, avec les sites archéologiques.

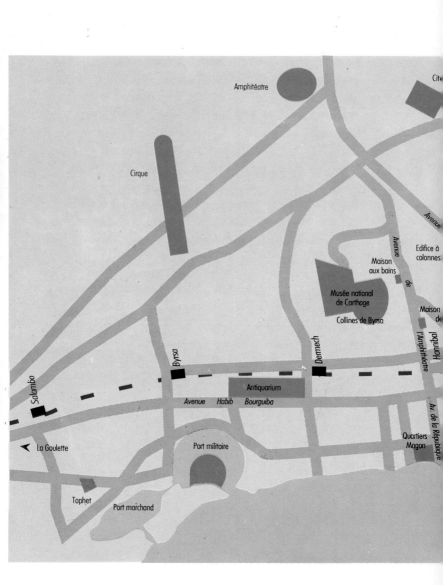

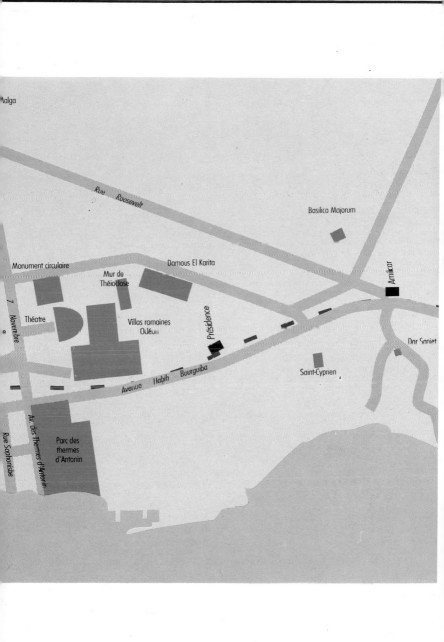

Malga

Rue Roosevelt

Basilica Majorum

Monument circulaire

Damous El Karita

Mur de
Théioclose

Amilcar

7 Novembre

Théatre

Villas romaines
Odéon

Présidence

Dar Saniet

Avenue Habib Bourguiba

Saint-Cyprien

Rue Sophonisbe

Av. des Thermes d'Antonin

Parc des
thermes
d'Antonin

LA COLLINE DE BYRSA

Avant d'entreprendre la visite des différents vestiges de Carthage, le meilleur endroit pour appréhender l'ensemble du site est sans aucun doute la colline de Byrsa, vers laquelle on s'orientera facilement, grâce à l'ancienne cathédrale Saint-Louis. Du haut de cette acropole, où s'édifièrent la citadelle punique puis le centre monumental de la ville romaine, on embrasse un vaste panorama: Byrsa, pyramide tronquée dominant la plaine environnante, s'élève au centre d'une presqu'île reliée au continent par un isthme très large ; elle est bordée sur deux côtés par la mer et sur les autres par une sebkha (lac).

Depuis l'esplanade méridionale, on découvre, en partant de la droite, le Cap Gammarth, grande dune dominant la mer, puis la sebkha de l'Ariana que limite à l'horizon la chaîne du Djebel Ahmar. Apparaît ensuite le chapelet des collines de Tunis : le Belvédère dominé par la masse de l'Hôtel Hilton, la Medina surmontée des bâtiments de la Kasbah, et le Marabout de Sidi Bel Hassen. Plus loin se dressent plusieurs montagnes : Djebel Zaghouan, Djebel Ressas et le Bou Kornine, reconnaissable à ses deux pointes. En avant, s'étend la Behira de Tunis, vaste sebkha miroitant au soleil. La plaine de Carthage lui succède, aboutissant à la colline de Byrsa ; on aperçoit, à 700 m à vol d'oiseau, à l'extrême gauche, à travers un rideau de plantations, autour de quelques maisons, *les citernes de la Malga* (cf p. 77). Plus au sud, de l'autre côté de la route, blotti parmi les pins, se trouve l'*amphithéâtre* (cf p. 75). A droite, au milieu de la plaine, un long vallonnement est-ouest révèle l'emplacement du *cirque*, dont l'extrémité aboutit à l'orée de Douar Chott, vieux village groupé autour de sa mosquée. Plus à gauche, au fond, on aperçoit une langue de terre séparant la mer de la sebkha et rattachant la presqu'île à l'arrière-pays ; une importante centrale électrique s'élève près d'installations portuaires : c'est La Goulette. A partir de là, les constructions s'enchaînent presque sans interruption, serrées sur cette étroite bande de terre : le village du Kram puis le quartier de

Vue du quartier punique de l'époque d'Hannibal, sur la pente sud de la colline de Byrsa, au pied des soutènements du forum romain.

Salammbô. Là, au milieu des petites maisons entourées de jardins, l'œil distingue, à travers les rangées d'eucalyptus qui bordent la route, deux lagunes : ce sont les deux bassins du *port antique* (cf p. 33), de part et d'autre d'un petit marabout à la coupole blanche. A proximité, mais invisible depuis la colline de Byrsa, se trouve le fameux *tophet* (cf p. 29), aire de sacrifice de l'époque punique.

Un quartier de l'époque d'Hannibal

De l'endroit où l'on admire ce paysage, à mi-pente de cette hauteur qui portait sans doute la citadelle, on découvre les vestiges d'un quartier punique, détruit, comme le reste de la ville, en 146 av. J.-C. Un siècle plus tard, lorsque Rome décida de reconstruire Carthage, la colline de Byrsa fut transformée en une vaste esplanade : un épais remblai fut accumulé sur les pentes, noyant ainsi ce quartier et le conservant jusqu'à nous.

Le visiteur a sous les yeux la dernière phase de l'occupation punique. Mais le site connut une plus longue histoire. D'abord s'établit une nécropole (VIIe-VIe s. av. J.-C.), dont subsistent quelques tombes, creusées au flanc de la colline, couvertes de dalles en chevron. Puis vinrent des ateliers de métallurgie (travail du fer et du cuivre), aux IVe et IIIe siècles. Enfin, un nouveau quartier d'habitation fut aménagé au début du IIe siècle : il vivra à peine un demi-siècle. Il apparaît tel qu'il était lors de la destruction de la ville, avec ses rues se coupant à angle droit, ses îlots à étages, divisés en petits appartements et ses boutiques ouvrant sur la rue au rez-de-chaussée.

Quatre belvédères ont été aménagés sur les murs de fondation d'époque romaine, partiellement conservés.

Premier belvédère (vue d'ensemble) : On distingue aisément les grands massifs de maçonnerie -épaisses murailles continues ou piles- sur lesquels s'appuyaient les édifices romains. Débarrassées aujourd'hui du remblai dans lequel elles étaient enfoncées, ces fondations paraissent comme posées sur les niveaux puniques. En contrebas, l'habitat punique est à une tout autre échelle et présente une orientation différente : un îlot complet, de forme rectangulaire (30 m x 15 m), est délimité par quatre rues orthogonales. Vers le sud-ouest, deux îlots de dimensions plus restreintes (15 m x 10 m) ont été mis au jour et fouillés. D'autres îlots s'étageaient autrefois sur la pente, en direction des ports.

Deuxième belvédère : On domine le petit côté d'un îlot rectangulaire, ce qui permet de saisir son organisation. Au premier plan, une bande (5 x 15 m) est occupée par deux habitations indépendantes. Au second plan, on trouve trois autres parcelles de mêmes dimensions (15 m x 5 m), mais occupées chacune par une seule habitation. Enfin, l'autre extrémité de l'îlot est constituée, sur 10 m de largeur, de deux parcelles (l'une de 10 x 10 m, l'autre de 10 x 5 m). Sur le mur extérieur subsiste l'enduit rose, qui revêtait toutes les façades du quartier, ornées également de corniches retrouvées dans la fouille.

Troisième belvédère : On découvre l'unité d'habitation la mieux conservée : les murs du rez-de-chaussée sont presque intégralement préservés. Cette habitation se développe en profondeur sur la largeur de l'îlot, alors qu'en façade elle n'occupe que 5 m. A droite, débouchant sur la rue, un étroit couloir, fermé de part et d'autre, livre accès à la cour intérieure. Les sols du couloir et de la cour sont revêtus d'un béton semé de fragments de marbre blanc. Le long du mur, une rigole est ménagée dans le pavement pour l'écoulement des eaux usées. Sous le sol, partiellement détruit, on aperçoit la grande citerne, profonde et étroite (20 m^3), qui se développait en longueur jusque sous la cour : l'eau de pluie lui parvenait des terrasses supérieures par un conduit vertical. La cour, d'où l'on accède à la citerne, procurait air et lumière aux différentes pièces : au premier

Les occupations successives de la colline de Byrsa sur le plan des bâtiments du musée et de l'ex-cathédrale (en grisé).

 quartier punique   rues romaines   centre monumental romain

Pente méridoniale de Byrsa. Ces puissants soutènements, aujourd'hui dégagés du remblai dans lequel ils avaient été installés, témoignent de l'ampleur des travaux réalisés pour la construction du centre monumental.

plan, se trouve la plus vaste (4,50 m x 3,30 m), salle de réception ou plutôt boutique. L'escalier d'accès aux étages était en bois et n'a laissé que des traces ; situé dans le couloir, il rendait les étages indépendants du rez-de-chaussée. De ces étages, la fouille a retrouvé seulement des gravats : fragments de mosaïques et de stucs en particulier.

Quatrième belvédère : De ce point, on domine le carrefour de deux rues perpendiculaires, en terre battue ; les eaux usées des maisons étaient recueillies dans des puisards creusés à même la chaussée. Pour rattraper la pente, des marches furent installées à divers endroits : ces rues étaient donc piétonnes, impropres aux véhicules, praticables seulement aux bêtes de somme. Autour de ce carrefour, trois îlots ont été complètement dégagés. Vers le sud, l'un d'eux a été entaillé en diagonale par un mur de soutènement romain. Dans l'angle préservé de cet îlot, une pièce donnant sur la rue par deux entrées aurait été une meunerie.

Le centre monumental de Carthage romaine

Après la prise de la ville en 146, suit une période d'abandon, de plus d'un siècle. Au milieu du règne d'Auguste, la colline, après écrêtement de son sommet et remblaiement de ses pentes (des milliers de tonnes de matériaux !), est transformée en une immense plate-forme (336 x 323 m) pour établir le centre monumental, concentrant les fonctions administratives, politiques et religieuses. Sur cette esplanade, une des plus spacieuses du monde romain, divers monuments (temples, basiliques, portiques) se succèdent jusqu'au VIIe siècle. Trois zones peuvent être distinguées:

Le forum, très vaste, était ouvert sur l'axe du *decumanus maximus* ; la place elle-même (plus de 13 000 m^2) était limitée par des portiques sur ses longs côtés et, à partir du règne d'Antonin, dominée à l'est par une basilique judiciaire. Réalisé en marbres grecs et africains, ce dernier édifice était couvert d'une charpente d'une portée de 21 m, culminant à 30 m au-dessus du dallage. La basilique (83 x 43 m), avec ses trois nefs reposant sur deux rangées de 18 colonnes, n'occupait pas moins de 3 600 m². A l'extrémité occidentale de l'esplanade s'élevait le capitole, à jamais enfoui sous la cathédrale. Dans le jardin du Musée, subsistent des vestiges de la basilique, dont le plan est évoqué au sol, et, en contrebas, des murs de soutènement, dits les absides de Beulé.

Sur le même niveau, l'espace qui jouxtait le forum vers le sud était occupé par une autre place de près de 12 000 m², fermée par des portiques sur les longs côtés. Vers l'est s'ouvrait un temple de grandes dimensions ; la limite ouest, le long du *cardo maximus*, était barrée par un édifice quadrangulaire lui aussi fort vaste, richement orné, peut-être la bibliothèque publique. Cet ensemble, dont la conception remonte -à l'exception de la bibliothèque- à l'époque d'Auguste, était sans doute consacré au culte impérial.

Une troisième terrasse, à la limite méridionale de l'esplanade, dominait le *decumanus* I sud sur toute sa longueur ; sous Antonin, un temple fut bâti à son extrémité occidentale; il s'appuyait sur les substructions voûtées qui soutiennent la terrasse au-dessus du *cardo maximus*.

Ce forum, que les auteurs anciens désignent sous le nom de *platea nova* paraît succéder à un autre, plus ancien, situé dans la zone portuaire : certains archéologues reconnaissent le premier forum dans la place installée au centre de l'îlot du port circulaire (cf p.34) tandis que d'autres le recherchent dans la plaine littorale, entre ce port et la colline.

Jardin du Musée

Devant le musée, à l'emplacement de la basilique, un jardin lapidaire donne une idée de la richesse du décor architectural de la Carthage romaine : colonnes, chapiteaux, corniches. On trouve aussi rassemblés des cippes puniques, des sarcophages, des meules. Sur le mur de clôture sont scellés des fragments d'inscriptions ou de statues.

Autres points de vue

Après la visite du Musée (cf p. 87), on pourra continuer la découverte du paysage sous deux angles différents.

De la terrasse de l'hôtel Didon ou du jardin du musée, s'offre un vaste panorama sur le Golfe de Tunis. Au fond, par temps clair, se profile la chaîne du Cap Bon. Au premier plan, s'allonge une étroite plaine côtière, de Salammbô jusqu'au plateau de Borj Jedid. Du quartier maritime de Carthage qui s'étendait là, presque rien n'a survécu. Mais en contrebas du plateau, le parc archéologique des *Thermes d'Antonin* constitue l'un des principaux centres d'intérêt de Carthage.

De l'esplanade du musée (place de l'Unesco), le regard couvre tout le secteur allant de Sidi Bou Saïd à Gammarth. A partir de Borj Jedid, le relief s'élève progressivement jusqu'au Cap de Carthage. Haut de 129 m, ce promontoire, coiffé du village de Sidi Bou Saïd, garde l'entrée du golfe. Les amples ondulations du terrain tombent alternativement en falaises ou en vallons sur la mer. A l'est, le plateau de Sainte-Monique-Saïda, très construit, a livré de riches vestiges, en particulier des tombeaux puniques. Seules les ruines de la *basilique de Saint Cyprien* ont subsisté, dominant la falaise rouge d'Hamilcar. Vers l'intérieur, dans un creux de la plaine, s'abrite la basilique chrétienne de *Damous El Karita*. Au sommet du plateau voisin reconnaissable à deux grands immeubles, se trouvent l'*odéon* et le *quartier des "villas" romaines* ; contre le versant sud du plateau s'adosse le *théâtre*, face à la colline de Junon qui conserve seulement les ruines d'un *édifice à colonnes*. Au-delà, s'étend, jusqu'à Gammarth, la plaine de La Marsa, la *Megara* punique.

LE TOPHET

Le long de l'avenue Bourguiba, en direction de La Goulette, sur la gauche, l'avenue Hached, puis la rue Hannibal conduisent au Tophet, découvert en 1921. Des fouilles menées de 1976 à 1979 par une équipe américaine ont confirmé les interprétations anciennes.

Le nom de *tophet* -qui ne figure dans aucune inscription punique mais dans la Bible- désigne une aire à ciel ouvert, où Phéniciens et Carthaginois pratiquaient le sacrifice (*molk*) de leur progéniture aux divinités protectrices de la cité, Baal Hammon et Tanit. Le tophet de Carthage est le plus grand connu, même si ses limites exactes ne peuvent être précisées : on estime à près d'un hectare, à son plus grand développement, au IIIe siècle avant J.-C., l'enceinte à l'intérieur de laquelle s'empilaient les dépôts votifs.

Les cendres des victimes -soit des nouveaux-nés ou des enfants de 2 à 4 ans, soit des animaux, agneaux, chevreaux ou oiseaux- étaient recueillies dans une urne, placée ensuite dans une fosse délimitée par des pierres. Victimes humaines ou substituts animaux étaient enterrés selon le même rituel, avec des offrandes (perles de verre, amulettes, et parfois vaisselle miniature). En surface, des monuments de pierre -cippes et stèles en grès ou en calcaire- indiquaient les ensevelissements. Les plus anciens sont de forme simple : cippes-trônes en forme de L ; plus tard, ils sont ornés de symboles des divinités (bétyle, «bouteille», disque, croissant, signe de Tanit) ; dans la dernière période, ils portent quelquefois des inscriptions (nom et profession du dédicant). La plus émouvante de ces représentations figure un prêtre tenant dans ses bras un enfant destiné au sacrifice (aujourd'hui au Musée du Bardo).

Quant tout l'espace se trouvait rempli, il était remblayé et l'on passait ainsi à un niveau supérieur. Le tophet apparaît donc comme une succession de couches superposées de terres, d'urnes et d'ex-voto : on ne peut fouiller un tel site sans le détruire. Mais l'on a pu restituer les différents

Le tophet, aire de sacrifice en plein air, est ici conservé sous des fondations voûtées d'époque romaine.

niveaux qui témoignent de l'évolution du tophet, depuis le VIIe siècle av. J.-C. jusqu'à la prise de 146.

Récemment, la réalité des sacrifices d'enfants et la fonction même du tophet ont été mises en doute : il s'agirait en fait d'une nécropole d'enfants. Mais cette nouvelle interprétation se heurte aux textes des inscriptions votives et aux vestiges eux-mêmes. Contrairement à ce que l'on a également parfois prétendu, la substitution d'animaux ne supplanta pas progressivement les sacrifices humains. Certains historiens ont aussi suggéré que cette pratique, outre sa dimension religieuse essentielle (donner aux dieux les prémices qui leur reviennent de tous les produits de la nature, même ses enfants), avait également des implications économiques et sociales : maintenir la fortune des élites en limitant le nombre d'héritiers.

Dans le jardin aujourd'hui aménagé sur le site, sont présentées de très nombreuses stèles (cf tableau), qui illustrent bien la complexité d'un art punique enrichi de diverses influences (orientales, égyptiennes, libyques et grecques), où prédominent les figures abstraites. Une partie du tophet est aussi conservée en crypte sous des fondations voûtées d'époque romaine ; mais rappelons que, dans l'Antiquité, cette aire sacrificielle demeurait à ciel ouvert.

A l'époque romaine, l'emplacement du tophet servit à d'autres usages : s'y installèrent des entrepôts, des ateliers de potiers, des maisons, et même un sanctuaire de Saturne. Dans le jardin, plusieurs pans de murs rappellent ces constructions où a été trouvée une mosaïque figurant les Saisons (transportée au Musée du Bardo).

Une stèle du tophet, en calcaire, avec la représentation de la main ouverte, d'une victime animale (mouton) et du signe de Tanit.

Les symboles les plus fréquemment représentés sur les stèles du tophet : 1 - main ouverte ; 2- caducée ; 3-idole-bouteille ; 4 - bétyle ; 5- signe de Tanit ; 6- disaue et croissant.

LES PORTS PUNIQUES

Tout près du tophet, la rue Hannibal conduit aux ports puniques.

A l'extrémité sud-est de la plaine littorale qui abrite une petite rade, les ports de Carthage, situés à l'intérieur des terres, ne se présentent plus aujourd'hui que sous la forme de deux lagunes au milieu d'un quartier de maisons modernes. Le visiteur a peine à croire que ces faibles étendues d'eau furent à l'origine de la fortune et de la puissance maritime de Carthage et constituèrent le point de départ de ces grands navigateurs. D'après la description d'Appien (IIe s. ap. J.-C.), reprenant le témoignage de l'historien grec Polybe présent au siège de 146 av. J.-C., l'ensemble était formé d'un port rectangulaire, destiné à la marine marchande, qui communiquait, par un goulet, avec un port circulaire, à vocation militaire, siège de l'amirauté qui contrôlait ainsi le mouvement des navires.

Ce secteur vital de Carthage antique a connu de tels bouleversements au cours des siècles qu'il en subsiste seulement d'infimes vestiges que les fouilles récentes ont pourtant permis d'analyser et de comprendre.

Le port circulaire (ou port de guerre)

Dans le cadre de la campagne internationale de l'UNESCO, une équipe britannique a repris les fouilles sur ce site et apporté les preuves irréfutables de son identification.

Aux IVe-IIIe siècles av. J.-C., le port (ou *cothon*), se présentait comme un bassin circulaire, limité par des quais. Au centre, un îlot était occupé par deux rangées de cales sèches, rayonnant à partir d'une cour en forme de losange ; d'autres cales étaient disposées sur le pourtour du port. Toutes ces cales, utilisées pour le radoub et l'hivernage, comportaient une pente douce descendant vers le niveau de la mer, permettant aux navires d'être hissés par des treuils.

Le port circulaire. Au fond, sur la hauteur, la colline de Byrsa.

A l'époque romaine, l'îlot, conservant sa forme circulaire, fut entouré d'une enceinte, bordée d'une double colonnade. La galerie extérieure s'ouvrait sur le quai, tandis que la galerie intérieure donnait sur une place circulaire avec un petit temple et une *tholos* hexagonale. En face d'un pont reliant l'îlot à la terre du côté nord, une porte monumentale livrait accès à la place. Ces aménagements auraient été réalisés sous le règne de l'empereur Commode (180-192), qui créa la flotte destinée au ravitaillement en blé de Rome.

Mais des questions demeurent : où se trouvait le port avant la construction de ces *cothon* qui datent seulement du IVe siècle? D'autres havres ou mouillages devaient être utilisés, même lorsque ces ports étaient en service. La plage occupée ensuite par les thermes d'Antonin pourrait convenir, ou encore la grande étendue de sable de la Marsa.

Pour la visite, on se rendra d'abord au centre du port circulaire, où un antiquarium présente des maquettes du port militaire (périodes punique et romaine), et des informations sur les fouilles. Sous un portique sont exposés quelques éléments architecturaux. Sur le site, une des cales a été reconstituée partiellement, montrant la rampe en bois sur laquelle étaient tirés les navires et les piliers qui suppor-

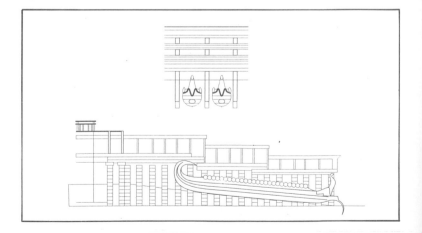

Restitution des installations de l'îlot circulaire, dans l'état du début du IIe s. av. J.C., d'après les fouilles de la mission archéologique britannique : coupe longitudinale et latérale des cales sèches.

taient la couverture. De même, le pont reposant sur les bases antiques a été refait, permettant ainsi l'accès à l'îlot.

Le port rectangulaire (ou port marchand)

Seule la forme de ce port est visible ; des fouilles ont été menées par une équipe américaine de 1975 à 1980 sur la berge occidentale.

Les vestiges du port marchand sont plus difficiles à lire : ses bords sont envasés, son contour irrégulier et il est même amputé d'une partie de son bassin, comblée pour l'installation de constructions modernes. Malgré cela, on a pu déterminer l'existence de quais, puniques et romains, et noter l'emplacement des diverses traces de construction remontant aux derniers siècles de Carthage.

Avant le milieu du IVe s. av. J.-C., un chenal d'eau salée, large de 15 à 20 m et profond de 2 m, parallèle à la côte, traversait le futur site des ports ; il devait être navigable jusqu'aux portes du tophet. Vers 350 av. J.-C., ce chenal s'envasa ou fut remblayé pour la construction du port.

Le port de l'époque punique était un bassin artificiel, de forme rectangulaire, d'une superficie de 7 ha, entouré d'un quai en blocs de grès. Ce quai est situé à 0,85 m sous le niveau actuel de la mer, ce qui indique le niveau de la Méditerranée aux IIIe-IIe s. av. J.-C. Les vestiges d'un grand entrepôt ont été découverts à l'ouest du quai.

En apparence du moins, le port ne fut que peu endommagé lors de la dernière guerre punique, et les Romains le remirent vite en service. Sous les Antonins, le bassin fut transformé en un hexagone allongé, proche du plan du port de Trajan à Ostie. Vers 400 ap. J.-C., le mur du quai fut surélevé, en raison d'une hausse du niveau de la mer, et un ensemble d'entrepôts fut ajouté. Au VIe s. ap. J.-C., le niveau de la mer ayant encore monté, le quai fut à nouveau rehaussé. Vers la fin de ce siècle, le port cessa son activité et des potiers s'installèrent dans les ruines.

L'ANTIQUARIUM DE L'AVENUE BOURGUIBA

Le long de l'avenue Bourguiba, sur le côté gauche de la route quand on vient de La Goulette, peu avant le supermarché, a été construit un antiquarium pour présenter les fouilles menées par l'I.N.A.A.et l'Ecole américaine de recherches orientales, sur un site dont les vestiges sont mal conservés et peu spectaculaires.Les recherches ne se sont pas avancées jusqu'aux niveaux anciens et ce musée est donc consacré à l'antiquité tardive, surtout aux Ve-VIIe siècles.

L'antiquarium est installé au carrefour de deux rues romaines : l'une, est-ouest (*decumanus* II sud) est restituée par le chemin de gravier qui conduit au bâtiment, tandis que la rue nord-sud (*cardo* IX est), a été reconnue en direction du supermarché. Sur ce terrain, deux groupes de constructions se sont succédés du IVe au VIIe siècle : le premier est difficile à interpréter ; le second est constitué par une église byzantine et ses annexes. A côté, s'étendait une demeure de la même époque, la Maison des auriges grecs.

Le monument à colonnes et ses annexes

Le premier bâtiment, construit à la fin du IVe ou au début du Ve siècle, se compose d'une salle à trois nefs orientée est-ouest, flanquée d'un portique incomplet. Sa destination n'est pas certaine. Mais en raison des transformations qu'il subit au début du Ve siècle et de la nature du bâtiment qui lui succédera, il est raisonnable de penser à une église.

Le «complexe» adjacent -terme retenu faute d'interprétation satisfaisante- fut construit à la même époque et empiéta sur les deux *cardines*. De la rue, on accédait au bâtiment par trois passages (un à l'ouest et deux à l'est) ; l'un menait directement à une cour. Seule la salle principale de l'ensemble était pavée d'une mosaïque polychrome. A l'ouest, une salle ou cour semble liée à une activité artisanale non précisée, tandis que d'autres salles étaient probablement des dépôts de provisions. En façade, on retrouve des

Groupe en marbre de Ganymède et l'aigle, récupéré en 17 fragments dans une citerne de la maison des auriges grecs en 1977. Début du Ve s.

boutiques, comme il est souvent d'usage, tandis qu'un portique monumental bordait le *cardo* X. A la fin de l'époque vandale, certaines parties furent négligées, quelques toits s'effondrèrent et des murs furent même démontés. Par la suite, de nouveaux habitants (plus pauvres ?) occupèrent la partie orientale et reconstruisirent les murs en brique crue.

La basilique, l'ensemble ecclésiastique et le baptistère

A l'époque byzantine, une église fut construite à l'emplacement du bâtiment précédent, utilisant une partie des structures comme fondation. Il s'agit d'un grand édifice (36,35 x 25,50 m) comportant deux absides contemporaines et cinq nefs. Le plan, très homogène, ne paraît pas avoir subi de transformations. Le décor est caractéristique des églises byzantines : les nefs sont mosaïquées alors que l'abside occidentale est pavée de marbre. Cette église, près du forum bas et des ports, pourrait être la cathédrale de Carthage.

Succédant au «complexe», les bâtiments situés au sud de l'église comprennent un baptistère du VIe siècle et des salles administratives associées à l'église. Seules les salles septentrionales (les plus proches de l'église) furent reconstruites à l'époque byzantine. Le baptistère, très large (14 x 14 m), d'un décor soigné, est surmonté d'une voûte sur tubes. Au centre, la cuve cruciforme est accessible par deux escaliers opposés et permet une immersion totale. Comme l'aire qui l'entoure, elle est pavée de marbre blanc. Autour de la cuve se dressaient huit colonnes en marbre de Chemtou. Au-delà de la colonnade, le sol était pavé de huit panneaux de mosaïque à motifs géométriques et végétaux séparés de bandes de marbre. Chaque angle du baptistère comprenait une abside, probablement couverte d'une voûte en cul-de-four et pavée d'une mosaïque représentant une grande coquille. Sur le côté oriental du baptistère, huit petites salles

Restitution de la basilique de Carthagenna avec sa chapelle annexe et son baptistère (Ch. Pieirce et L. Ennabli)

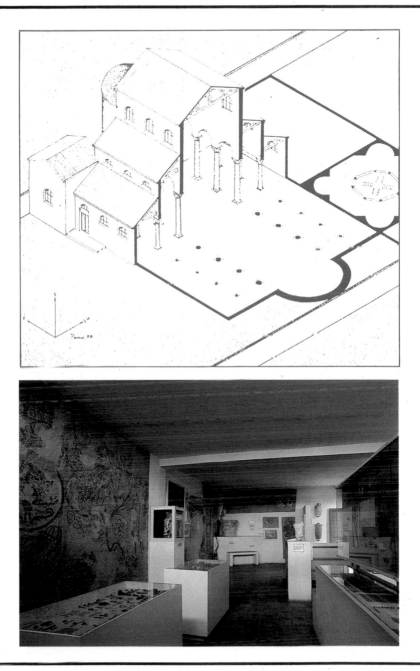

L'intérieur de l'antiquarium.

carrées entouraient une cour centrale d'usage privé : cinq étaient pavées de mosaïques, dont celle du paon présentée dans l'antiquarium.

Alors que les salles situées à l'est et à l'ouest du baptistère étaient intégrées à l'ensemble ecclésiastique au VIe siècle, les salles méridionales, non reconstruites, furent occupées, comme nous l'avons dit, par des habitants plus pauvres qui réparèrent les murs avec des moyens modestes. Quelques citernes furent utilisées comme dépôts d'ordures au VIIe siècle. Les sols en brique crue les plus tardifs et les séparations en bois pourraient dater des années qui suivirent la conquête arabe (698), ce qui laisse à penser que tous les habitants de Carthage n'émigrèrent pas dès ce moment. Toutefois, peu de temps après, le site fut abandonné et transformé en carrière.

La Maison de la mosaïque des auriges grecs

Cette maison, construite vers 400 ap. J.-C., a été partiellement explorée ; seul le secteur de la cour est bien connu. Trois ailes du péristyle ont été dégagées : l'aile méridionale ouvrait sur une salle principale (*triclinium* ou *œcus*), par un large seuil en mosaïque représentant des auriges grecs ; le sol du *triclinium* était revêtu d'un motif figuré, très dégradé, avec des bordures d'acanthes. Presque toutes les salles ont révélé des mosaïques : sous les portiques, on rencontre des motifs géométriques polychromes ; dans une salle voisine du *triclinium* figurait une Néréide. La maison fut dotée d'au moins trois citernes : une grande, du début du IIe siècle, s'étendait sous la cour ; deux autres, d'origine punique, sous le *triclinium*. Une statue représentant Ganymède, probablement destinée au décor du péristyle ou du *triclinium*, a été découverte dans la citerne méridionale. La maison continua d'être utilisée au VIe siècle. Peut-être même fut-elle partiellement reconstruite : un remarquable pavement en *opus sectile* fut installé dans le *triclinium* et de nouvelles mosaïques placées dans d'autres salles. L'occupation semble avoir continué durant le VIIe siècle.

L'antiquarium

Dans ce petit musée sont présentées les découvertes que nous venons d'évoquer, ainsi que le résultat d'autres fouilles américaines (port et cirque). Hormis quelques éléments, il ne s'agit pas de pièces exceptionnelles : cet antiquarium nous montre, dans le cadre de typologies, et avec des explications détaillées, le mobilier livré habituellement par les fouilles : petits objets en fer, en bronze ou en os, monnaies (9 500 ont été découvertes). Les séries de céramiques (commune, sigillée, lampes) permettent de dresser un tableau des productions africaines et des importations à la fin de l'Antiquité. Les nombreuses variétés de marbres ou autres pierres, avec leur provenance, illustrent les différentes carrières, parfois lointaines, qui approvisionnaient Carthage. Les techniques de construction sont aussi évoquées (tubes de voûte). A l'époque chrétienne, les carreaux de terre cuite offrent une iconographie caractéristique.

La Maison des auriges grecs a livré les œuvres les plus importantes. La statue de Ganymède -qui rappelle la passion de Zeus pour ce jeune berger phrygien, choisi comme échanson-, en marbre blanc, est un excellent exemple de petite sculpture ornementale de l'Antiquité tardive. La mosaïque des auriges représente quatre conducteurs de char ; chacun appartient à une faction du cirque et son nom est indiqué en grec : *Euphymos* (bleu), *Domninos* (blanc), *Euthymis* (vert) et *Kephalon* (rouge). Le pavement en *opus sectile* (VIe s.), réalisé à partir de marbres de remploi, notamment le porphyre, témoigne du caractère luxueux de l'ensemble. On visite également une citerne en descendant sous le niveau de l'antiquarium.

Quartier Magon. Muraille punique, porte et urbanisation du Ve au IIIe s. av. J.-C. Fouilles de l'Institut archéologique allemand.

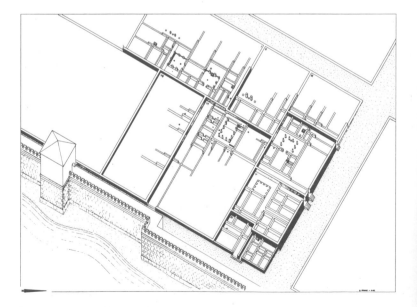

Muraille punique et urbanisation à l'emplacement de l'ancienne porte, IIe s. av. J.-C. Fouilles de l'Institut archéologique allemand.

LE QUARTIER MAGON

L'accès se fait avenue de la République, près de la mer, en face de l'ancien palais beylical, aujourd'hui Beit El Hikma (cf p. 89). Cet enclos, également visible de la promenade aménagée au bord de la mer, présente les fouilles menées par l'Institut archéologique allemand dans le cadre de la campagne internationale. L'aménagement, très didactique (les vestiges ont été partiellement restaurés et reconstruits), montre la continuité de l'habitat pendant plus d'un millénaire.

Dans la plaine côtière, il faut attendre le Ve siècle av. J.-C. pour que se développe une ville nouvelle, tracée selon le plan régulier de l'urbanisme contemporain (en particulier dans le monde grec) et protégée par une puissante muraille garnie de tours. A cette enceinte, percée d'une porte maritime, aboutit une importante voie de communication. Par la suite, de gros blocs de grès sont placés en avant de la muraille pour servir de brise-lame. Jusqu'au IIIe s. av. J.-C., les unités d'habitation, de forme rectangulaire (cf p. 22) avancent jusqu'à atteindre le chemin intérieur des remparts. Dans le courant du IIe s. av. J.-C., on finit par abandonner l'utilisation de la porte primitive. On la condamne tout en la surélevant et on décale à cet endroit l'alignement du mur en direction de la mer. A cette même époque, sont réunies un certain nombre de petites demeures anciennes pour constituer de grandes maisons d'au moins deux étages, dont les pièces aux stucs peints et aux sols en bétons et mosaïques polychromes s'ordonnent autour d'une cour à colonnade. D'innombrables puits et citernes leur assurent un approvisionnement autonome en eau. Tout comme le reste de la ville, ces habitations furent détruites en 146 av. J.-C. Lors de la nouvelle fondation de Carthage, sous le règne d'Auguste, la limite de la ville du côté de la mer suit toujours le tracé des remparts puniques. C'est seulement après les années 150 que la ville empiéta sur le rivage d'une largeur d'*insula*.

A l'issue des travaux, le terrain de fouilles a été transformé en jardin archéologique. La voie romaine (*cardo* XVIII),

limite maritime de la ville augustéenne, au-dessus de la muraille punique, a été restaurée. Elle offre au visiteur qui se promène au bord de la mer le panorama du golfe de Tunis; on aperçoit même parfois les restes du mur appartenant à la rive du IIe siècle après J.-C., et qui dépassent à peine le niveau de l'eau. Dans l'alignement du *decumanus* I nord qui débouche à cet endroit, une ouverture dans la fondation, reproduisant le profil original de l'égout romain, permet de voir les énormes blocs de grès de la muraille punique, les brise-lames, construits entre cette dernière et la mer, ainsi que les restes de surélévations puniques tardives du IIe s. av. J.-C. Plus loin, on découvre trois grands secteurs de fouille délimités par des murs où l'on trouve des parties restaurées de maisons puniques, dotées de cours à colonnades, avec leurs pavements, leurs puits et leurs citernes. La conservation de l'orientation punique par les Romains permet, malgré la surélévation du niveau du sol, de dessiner de part et d'autre d'une étroite ruelle le quadrillage d'un quartier d'artisans du Ier s. ap. J.-C. On y retrouve le plafond partiellement reconstruit d'une cave en sous-sol et les citernes voûtées plus récentes qui pénètrent dans les restes de constructions puniques.

Un antiquarium, dans deux salles, présente des informations sur les découvertes et un choix de mobilier.

Dans la première salle, sont conservés quelques éléments évoquant le décor des maisons puniques (frises de stuc peint, fragments de pavements) et divers objets (céramique, couteau en fer, fragment de grande statue en grès stuquée, poupée et figurine grotesque de terre cuite) ainsi qu'une inscription punique concernant la reconstruction d'un mausolée. Une maquette montre le système d'exploitation des carrières de grès d'El Haouria (Cap Bon) qui approvisionnaient Carthage.

Dans la seconde salle, maquettes et restitutions graphiques retracent l'évolution du quartier, de l'époque punique à la fin de l'Antiquité.

Fragments de pavements puniques.

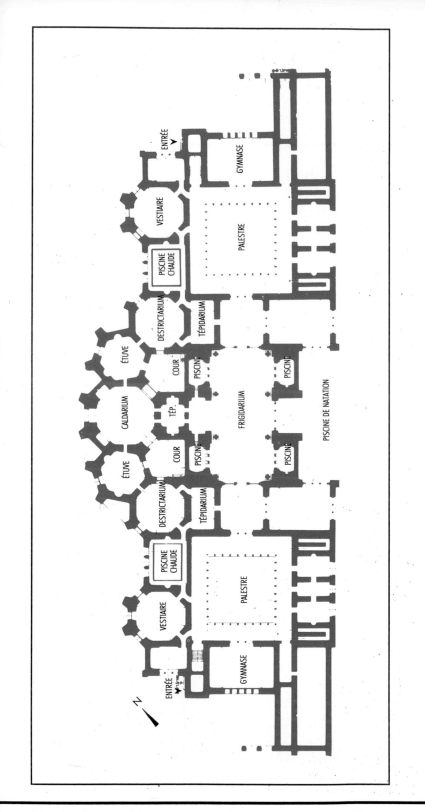

Plan des thermes d'Antonin. L'étagedes bains ouverts au public.

LE PARC DES THERMES D'ANTONIN

Au pied de la colline de Borj Jedid, qui porte aujourd'hui le palais présidentiel, s'étend le parc des thermes d'Antonin, limité à l'ouest par la route de Sidi Bou Saïd, à l'est par le rivage, au sud par la rue des thermes d'Antonin, dans laquelle se trouve l'entrée. Ce jardin archéologique constitue l'ensemble monumental le plus remarquable de Carthage.

Les thermes

Un effort d'imagination est nécessaire pour restituer à cet édifice son ancienne splendeur. Ce qui s'offre à la vue aujourd'hui n'est plus que le soubassement d'un colosse abattu et dépouillé de presque tous ses éléments architecturaux et ornementaux.

Les thermes d'Antonin, situés en bordure du rivage, occupent la superficie de quatre *insulae*, emplacement libéré par un grand incendie. L'ensemble de l'édifice consistait en une esplanade, bordée sur trois côtés de portiques ou de constructions annexes et sur le quatrième par les bains eux-mêmes. Commencés sous le règne d'Hadrien, les thermes furent inaugurés sous Antonin (milieu du IIe siècle). Malgré leur nom, ce ne sont pas des thermes offerts par l'empereur comme ceux de Rome : ils sont dus à la générosité des élites de la ville, fort prospères en ce milieu du IIe s. ap. J.-C. En dehors de Rome, rien ne pouvait leur être comparé.

Les thermes étaient alimentés par d'énormes citernes établies en haut de la colline, à une centaine de mètres au nord, et approvisionnées par l'aqueduc amenant à Carthage l'eau des sources de Zaghouan. Le site retenu était particulièrement favorable à la construction de bains aussi importants : la situation à un point bas permettait une forte pression dans les canalisations ; la proximité de la mer facilitait l'approvisionnement en combustible, tout comme l'évacuation rapide des eaux usées et des cendres. Mais cet emplacement interdisait l'aménagement de sous-sols de service enterrés ; il fallut donc les installer au rez-de-chaussée. De plain-pied avec la plage, le sous-sol est à demi-enterré du côté opposé, évitant ainsi de trop nombreuses marches pour l'accès au niveau supérieur où se développaient les salles ouvertes au public.

Pour les grandes lignes de la construction, l'architecte, s'inspirant des modèles de Rome (notamment des thermes de Trajan), adopta un plan symétrique : de part et d'autre d'un axe transversal, les salles sont dédoublées. Les thermes de Carthage étaient conçus pour être utilisés d'un bout à l'autre de l'année, certaines pièces seulement ayant des affectations saisonnières. Ils comportent toutes les salles nécessaires à grand établissement de bains, élément essentiel de la vie quotidienne des Anciens, qu'il devient aisé d'identifier lorsqu'on suit le circuit emprunté par les usagers.

Pour bien saisir le parti architectural, il est conseillé de se placer sur le perron à double escalier, d'où l'on domine l'esplanade devant laquelle se développe la façade.

De cet emplacement, les deux moitiés de l'édifice s'allongent avec une parfaite symétrie. Il reste à imaginer la hauteur de ces salles ainsi que les voûtes et coupoles qui les couvraient ; la grande colonne du *frigidarium* a été redressée pour donner au visiteur une idée de la hauteur de l'édifice. Haute de 15 m, elle supporte un chapiteau en marbre blanc de 8 tonnes (*une copie est installée au carrefour entre l'avenue Bourguiba et l'avenue du 7 Novembre*) ; mais la voûte était encore plus haute, comme le montre la restitution.

On accédait au bâtiment par quatre portes : deux sur l'esplanade, deux autres sous les portiques. Près de chaque entrée, la première salle octogonale et peut-être aussi la suivante constituent les vestiaires, munis de banquettes de marbre. Ensuite vient la piscine de natation chauffée (17,50 x 13,50 m), profonde de 1,56 m. A l'est de ces trois salles se

Coupe de la salle du *frigidarium*, d'après A. Lezine.

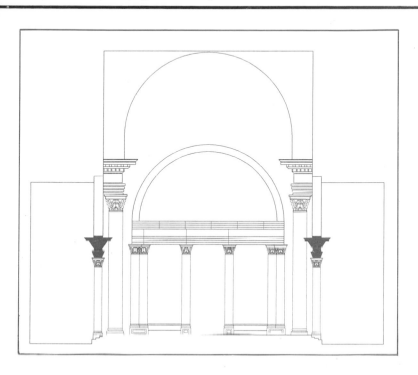

Les ruines des thermes d'Antonin : restes des sous-sol de service et colonne remontée du *frigidarium*.

trouve la palestre découverte, bordée de portiques sur les trois côtés. C'est là que se pratiquaient les sports nécessitant une nudité complète, notamment la lutte. Au sud de la palestre s'ouvre le gymnase couvert, utilisé surtout en hiver ou par mauvais temps. A l'opposé, une vaste antichambre permet de gagner soit le *tepidarium* (salle de transition à atmosphère tiède), première salle du circuit des bains chauds, soit le *frigidarium* central, soit la grande piscine de natation. De la salle tiède on passe dans une salle octogonale chauffée: le *destrictarium* destiné au nettoyage de la peau après une aspersion d'eau chaude puisée dans une vasque (le *labrum*). La salle suivante est le *laconicum* (étuve), salle hexagonale plus petite et plus basse que la précédente, où règne une chaleur sèche. On arrive enfin à la grande salle octogonale axiale : le *caldarium*, salle des bains chauds. D'un diamètre supérieur à 20 mètres, elle comportait cinq bassins rectangulaires, encastrés dans l'épaisseur des murs et peut-être aussi un bassin central circulaire. Les deux flots de baigneurs se rejoignent dans cette salle venant des pièces situées de part et d'autre de l'axe du bâtiment. Après le bain, on sort dans un second te*pidarium* pourvu de deux bassins. Cette pièce comporte deux portes d'entrée et de sortie pour séparer de nouveau en deux courants différents la foule des usagers. Lui faisant suite vers le sud-est et sur le même axe, on trouvait la plus grande et la plus belle salle de l'établissement: le *frigidarium* avec ses quatre bassins d'eau froide. De là, on peut soit sortir par la palestre pour retourner au vestiaire, soit aller nager dans la grande piscine en plein air. Des escaliers conduisent aux terrasses où l'on prenait des bains de soleil. Plusieurs salles du plan n'ont pas été identifiées, notamment celle réservée aux massages.

La visite des sous-sols subsistant montre la disposition des systèmes de chauffage ; c'est là que se trouvaient aussi les réserves de combustible. Le plan polygonal donné aux salles chaudes a permis de distribuer logiquement les foyers à leur périphérie. Les *destrictaria* comportaient deux chaufferies, les étuves trois et le grand *caldarium* quatre. Les salles tièdes n'en comportaient aucune ; elles étaient chauffées indirectement, leurs hypocaustes communiquant avec ceux des salles voisines. Les piscines chaudes étaient desservies par trois foyers chacune, les chaufferies étant séparées de l'esplanade par un mur écran. Les autres chaufferies étaient situées soit dans des courettes intérieures, soit, à l'extérieur, dans les espaces triangulaires compris entre deux salles adjacentes. Leur exiguité devait rendre très pénibles les conditions de travail. Au cours de la visite, on accordera une attention particulière à la salle du *frigidarium*, supportée par un sous-sol constitué d'une multitude de gros piliers dont on peut voir encore les traces ou l'appareillage. S'y trouvent aujourd'hui des éléments architecturaux ayant appartenu à la grande salle : des fragments de colonnes, de chapiteaux, de bases, d'architrave dont l'une portant une double inscription en l'honneur de Marc Aurèle et à l'occasion d'importantes restaurations du IVe siècle.

D'autres bâtiments occupent l'esplanade des thermes. Au sud-ouest, se déploie l'hémicycle des latrines publiques. Il est si vaste (son diamètre est de 35 mètres) que certains archéologues ont d'abord pensé qu'il s'agissait peut-être d'un théâtre. Là s'alignaient côte à côte, sous un portique, des sièges de marbre qui ont tous disparu aujourd'hui et dont le nombre peut être estimé entre 80 et 100. Au nord, profondément entaillé dans la colline de Borj Jdid, existe un second hémicycle de latrines, de dimensions analogues. La paroi du mur semi-circulaire a gardé quelques traces d'un décor de stuc sculpté et peint. Enfin, plusieurs salles ou exèdres bordant l'esplanade ont été dégagées à l'ouest et au nord ; il s'agit d'installations diverses, peut-être notamment de douches individuelles destinées à ceux qui pratiquaient un sport sur l'esplanade, aux heures où les bains étaient réservés aux femmes.

Le parc

En remontant à gauche de l'entrée les allées rectilignes et ombragées, le visiteur pourra voir un certain nombre de vestiges en cours d'aménagement.

Certaines de ces allées suivent le tracé des rues antiques. Les monuments les plus importants du parc sont une chapelle funéraire souterraine, une maison baptisée à tort *schola* et une basilique d'époque byzantine, dite de Douimès, avec son baptistère. Aux ruines des édifices exhumés sur place, pour la plupart très arasés, s'ajoutent divers éléments d'architecture ou de décor, de sculpture ou d'épigraphie, aux provenances très diverses, exposées dans des citernes réaménagées.

Les premiers vestiges que l'on rencontre sont ceux de maisons très arasées. La plupart des mosaïques ou des peintures qui les ornaient sont conservées aux musées du Bardo et de Carthage.

Plus loin, on peut voir, dans quelques excavations profondes ou à flanc de talus, plusieurs caveaux funéraires constitués de petites chambres surmontées d'un toit de deux dalles posées en chevron. Ce sont les restes des tombeaux appartenant à la nécropole punique qui couvrait tout ce secteur jusqu'à l'odéon.

Dans le voisinage immédiat de ces sépultures, plusieurs fours de potiers puniques sont visibles. Certains dateraient du IIe siècle av. J.-C., au moment de la chute de Carthage.

Toujours plus haut, en tournant à gauche pour suivre un *cardo*, on aborde une maison à péristyle dont les pièces de réception sont une salle à abside et une pièce triconque. Elle a parfois été identifiée comme une *schola* (c'est-à-dire le siège d'une association célébrant le culte impérial), en raison d'une belle mosaïque représentant un décor de palais impé-

Plan du parc archéologique des thermes d'Antonin.

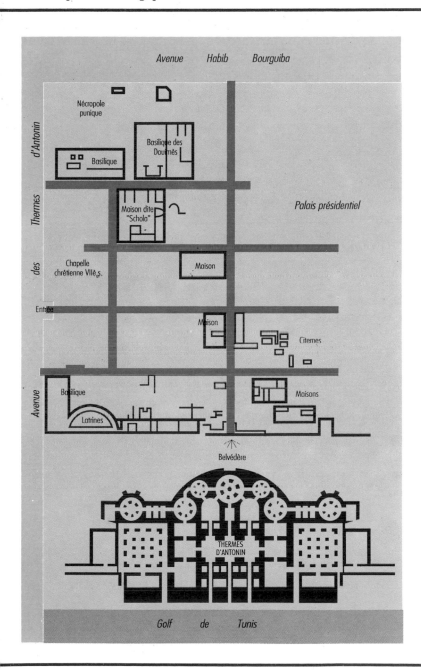

rial ou de riche maison tardive : d'immenses tentures enveloppent une sorte de *tholos* (édifice circulaire) que des Amours décorent de guirlandes.

Plus loin, en gravissant une légère pente, à gauche d'un petit bois de pins, se trouvent les vestiges d'une basilique byzantine qui offre des pavements en mosaïque polychrome, au décor géométrique extrêmement varié (très dégradées). L'édifice, de la fin de l'époque byzantine, comportait une nef centrale terminée par une abside orientale flanquée de deux ailes latérales. A l'angle nord-ouest était adjoint un baptistère.

A proximité de ce monument, se trouvent les ruines d'une maison dite *de la cachette*, en raison d'un abondant lot d'objets païens qui fut découvert dans le sous-sol recouvert par une mosaïque représentant une scène marine, sans doute pour les soustraire aux destructions. Quelques-unes parmi les plus belles statues de Carthage y ont été trouvées, notamment Minerve et surtout Déméter.

En redescendant le versant par une rue située plus au nord, on visite une chapelle paléochrétienne aménagée en sous-sol, qui abritait la tombe d'Asterius. Découverte sur la colline de Sainte-Monique-Saïda (cf p. 82), elle a été rebâtie ici. Des carreaux de terre cuite figurant des animaux bibliques décorent la paroi de l'escalier qui donne accès à la chapelle souterraine.

Mosaïque du seigneur Julius, découverte dans une maison de la colline de Junon. Autour de bâtiments d'une riche villa, sont représentées, sur trois registres, les activités d'un domaine avec le maître, la maîtresse et les

LA COLLINE DE JUNON ET SES PENTES

Entre l'acropole de Byrsa et le plateau de l'odéon, la colline de Junon (appellation qui ne repose sur aucune réalité antique) constitue une élévation bien individualisée que couronnent les établissements religieux édifiés au début de ce siècle, reconnaissables à leur toiture en tuiles rouges, aujourd'hui devenus établissements scolaires. Tout autour se dressent des villas modernes bâties sur des vestiges anciens -nécropole punique et maisons d'époque romaine- ; leur construction a conduit à la découverte de nombreux objets conservés au Musée de Carthage et au Bardo.

La Maison aux bains

A côté du n° 5, avenue de l'amphithéâtre, une crypte archéologique conserve les vestiges d'une maison fouillée en 1979-1980 par une équipe suédoise.

Cette maison est installée au pied de la pente nord de la colline de Byrsa, au croisement du *decumanus* I nord et du *cardo* I est, dont le dallage est visible dans la crypte. Ces ruines constituent la partie nord-est d'une *insula* (le cinquième de sa surface). La partie méridionale comprenait une cour dallée (non visible) ; la partie septentrionale, qui

serviteurs, le tout placé dans le renouvellement des saisons. Début du Ve siècle ap. J.-C. Musée du Bardo.

fait l'objet de la présentation, montre des pièces appartenant à des petits thermes. A l'entrée sur le *cardo*, on peut voir un tapis de mosaïque avec motifs floraux et végétaux (fin IVe-début Ve s.). Puis on traverse un grand vestibule, pavé de marbre, avec des murs peints et au milieu un *impluvium* (bassin recueillant les eaux de pluie). On reconnaît ensuite quelques-unes des salles caractéristiques d'un bain romain: le *caldarium* et le *tepidarium*, avec deux bassins d'eau chaude et deux d'eau froide. Les thermes étaient chauffés par des hypocaustes dont il subsiste la base des pilettes. Le bâtiment était également muni d'un ingénieux système de circulation d'eau composé de sept citernes souterraines et d'un puits (présentés avec éclairage) ainsi que de deux réservoirs situés à l'étage (disparus). Ces divers éléments communiquaient entre eux par des canalisations que l'on suit aisément. Cet édifice, longtemps utilisé, subit de nombreuses transformations.

Sur place, sont exposés quelques éléments lapidaires: décor architectural, bassins et margelle de pierre.

Toute cette zone qui occupe la vallée entre la colline de Junon et Byrsa contient des habitations privées d'époque impériale: Maison d'Ariane, Maison du Seigneur Julius (cf photo p. 55), Maison de la Chasse au Sanglier, Maison du Paon.

La Maison de la course de chars

Un peu plus bas, de l'autre côté de l'avenue de l'amphithéâtre, se trouve un terrain très partiellement fouillé en 1965-1966.

On distingue les vestiges d'une maison à péristyle, bordée par le *cardo* VI est dont le dallage est bien conservé. Outre des mosaïques géométriques, on a découvert un pavement, daté du milieu du IVe siècle, représentant une parodie de course dans un cirque: les chars sont tirés par des oies, des échassiers et des oiseaux exotiques (non visible).

LA COLLINE DE L'ODEON
ET LES VILLAS ROMAINES

LE THÉÂTRE

Le théâtre n'a conservé que sa *cavea* , c'est-à dire les gradins en hémicycle où prenaient place les spectateurs ; du dispositif scénique, il ne subsiste plus que quelques éléments architecturaux. La *cavea* utilise partiellement le relief et s'adosse à l'escarpement le plus abrupt du plateau. Mais si les gradins inférieurs sont aménagés directement dans la pente, les gradins supérieurs reposent sur des substructures en maçonnerie dans lesquelles on a ménagé des couloirs de circulation. Les gradins sont divisés en sections concentriques par des promenoirs bordés de balustrades, reliés par des escaliers. Au pied de la *cavea*, l'orchestre, espace semi-circulaire, a conservé une partie de son dallage de marbre.

Le théâtre. Détail des gradins de la *cavea*.

L'orchestre est séparé de la scène par le *pulpitum*, ou mur décoré de niches alternativement rectangulaires et semi-circulaires. Au-delà, au fond de la scène, s'élève la *frons scænæ* qui constitue le décor architectural permanent du théâtre : une colonnade de marbre et de porphyre avec statues et dédicaces encadrant les trois portes qui permettaient l'entrée des acteurs. Les fouilles du début du siècle ont montré la richesse de son ornementation. Une série de statues de marbre, représentant des divinités (dont un Apollon citharède de 2,40 m) ou des personnages, a été retrouvée à cet endroit ; elles sont exposées actuellement au musée du Bardo. Cet édifice, dont le diamètre a été estimé à 105 mètres, pouvait accueillir plus de 5 000 spectateurs.

Construit apparemment sous le règne d'Antonin, ce théâtre a subi plusieurs transformations dont la dernière date de la fin du IVe siècle (comme en témoigne une inscription). Il semble avoir été maintes fois endommagé et restauré ; il aurait été détruit, tout comme l'odéon, par les Vandales.

C'est dans ce théâtre qu'Apulée déclama sa XVIIe Flo*ride*, ce qui nous permet d'évoquer la décoration du monument : «*Dans cette salle, ce qu'il faut considérer, ce n'est pas le pavement de marbre, l'architecture du proscænium, la colonnade de la scène ; ce n'est pas l'altitude des galeries supérieures, l'éclat des plafonds, ni le cercle des sièges ; ce n'est pas le fait, que d'autres jours on voit à cette place un mime jouer des rôles burlesques, un comédien dialoguer, un tragédien déclamer, un danseur de corde risquer sa vie, un histrion gesticuler, bref tous les genres d'acteurs se produire en public chacun selon son art ...*».

Au moment de la seconde guerre mondiale, ce théâtre connut un moment historique : c'est là que Churchill prononça un discours devant le corps d'armée britannique en Afrique. Ce monument accueille maintenant chaque été le Festival international de Carthage.

Nymphée monumental à l'entrée du parc des villas romaines.

Le péristyle et le *viridarium* de la maison dite du cryptoportique.

LE PARC DES VILLAS ROMAINES

On accède au parc en empruntant, le long de l'avenue du 7 novembre, à l'est du théâtre, la Montée de l'Odéon, par la rue Arnobe.

A gauche de l'entrée, un nymphée monumental a été restauré et présente ses bassins et cascades, au-dessus de grandes citernes.

Signalons qu'avant la reconstruction de la ville à l'époque d'Auguste, tout ce secteur couvert par l'odéon, le théâtre et de riches demeures, faisait partie d'une vaste nécropole punique s'étendant au nord de la ville. Sous ces édifices que l'on va visiter se trouvent donc des tombes révélées au hasard des fouilles. On peut d'ailleurs, dans l'espace compris entre le théâtre et l'odéon, observer quelques-uns de ces caveaux : simples puits menant à une chambre funéraire où était déposé, à côté du sarcophage, un mobilier plus ou moins riche, constitué de céramique (flacons, lampes), d'éléments de parures ou de figurines. Tertullien (155-220) rapporte dans son traité *De la Résurrection de la chair*, la frayeur de ses contemporains devant la découverte, lors de la construction de l'odéon, de ces tombes contenant des cadavres encore bien conservés.

Dans ce secteur du parc archéologique, en cours de mise en valeur, le visiteur a la possibilité de découvrir tout un quartier de la ville romaine et d'abord cette trame de rues perpendiculaires, *cardines* (axes nord-sud) et *decumani* (axes est-ouest). Les îlots ou *insulae* déterminés par ces voies sont des rectangles allongés (141 x 35 m), étagés dans ce secteur par paliers. Chaque îlot comprend au moins deux, mais généralement plusieurs demeures. Notons que l'appellation du site est impropre : il s'agit de maisons urbaines (domus) et non de villas situées en dehors de la ville. Celles-ci sont des maisons à péristyle : autour de la cour centrale ou d'un jardin intérieur (le *viridarium*) court une galerie encadrée par des ailes comprenant les pièces d'habitation et de réception. Toutes ces parties étaient souvent pavées de mosaïques polychromes géométriques ou figurées. Les plus belles ont été déposées et sont aujourd'hui visibles aux musées du Bardo et de Carthage ; celles qui restent sur place ont beaucoup souffert de l'abandon du site après la fouille.

La Maison du cryptoportique

La première maison à gauche a récemment fait l'objet de recherches par une mission franco-tunisienne et d'un aménagement.

Cette grande maison à péristyle, dont les limites et toute la partie orientale sont mal conservées, occupe une partie de l'*insula* située entre les *decumani* IV et V nord et les *cardines* IX et X est. Elle se développe horizontalement vers l'ouest où la pente de la colline a été entaillée. Une longue galerie, baptisée à tort «cryptoportique», sert de soutènement le long du côté ouest ; elle a été restaurée et consolidée (*il est prévu d'y installer prochainement un antiquarium*).

Parc des villas romaines : vivier à poissons (constitué d'amphores décapitées et incluses dans une maçonnerie) et citerne.

Le péristyle, dont la colonnade a été indiquée au sol, a conservé une partie de sa mosaïque polychrome (Ve siècle) consistant en un quadrillage de tresses déterminant des cases chargées d'une couronne de laurier. Dans la coupe, près du plan en marbre présentant les parties connues de la maison, un aménagement permet de voir un dépôt d'amphores découvert dans un sondage effectué sous la pavement. Ce péristyle délimite un jardin intérieur (*viridarium*) replanté d'arbustes et de fleurs.

Au nord se développe une grande salle d'apparat (*œcus*), à peu près carrée, d'environ 200 m^2, ornée d'une colonnade intérieure. Son ouverture actuelle, à l'est, paraît récente ; dans l'Antiquité, l'entrée devait se trouver au sud et donner sur le péristyle. Le pavement (postérieur à 250 ap. J.-C.), est un *opus sectile* (incrustation de marbres polychromes) de grandes dimensions, présentant une composition orthogonale de grands carrés formés de 4 dalles rectangulaires de marbre gris, séparées par une baguette de marbre rouge et disposées autour d'un carré central en marbre rose de Chemtou. L'angle nord-ouest de la maison comporte une salle plus petite, pavée elle aussi d'un opus sectile ; elle donne au sud par trois baies sur une petite pièce pavée d'une mosaïque noire et blanche et au nord sur un ensemble de deux salles elles aussi mosaïquées : la première était décorée d'une mosaïque figurant une peau de tigresse (aujourd'hui au Musée du Bardo), l'autre d'un pavement noir et blanc

Sur la rue, on pense identifier des installations artisanales (notamment un pressoir), d'époque tardive.

Une riche maison de l'Antiquité tardive

De l'autre côté du decumanus, une insula, sommairement dégagée autrefois est en cours d'étude par une équipe franco-tunisienne. On gravira la rue pour découvrir d'en haut l'ensemble des vestiges qui seront prochainement mis en valeur.

Carretour du *decumanus* V et du *cardo* IX au pied de villa de la Volière.

Cette *insula* est située entre les *cardines* IX et X est et les *decumani* V et VI nord. Dans la partie sud de l'îlot, les vestiges sont très dégradés et ne permettent pas de comprendre le plan de la maison, dont on devine cependant deux pièces avec des pavements bien conservés (Ier siècle). Mais, plus au nord, il a semblé possible d'isoler une maison de l'Antiquité tardive, grâce aux murs continus la limitant au nord et au sud.

De cette somptueuse demeure (Ve-VIe s.), on distingue notamment une grande salle à abside, autrefois ornée d'une fontaine, et une salle avec une rotonde à colonnade intérieure, de forme très originale. Ces deux salles d'apparat se développent le long de l'aile ouest d'un grand péristyle, bordant une cour carrée. On remarquera de nombreuses entrées de citernes, dont certaines avec margelle. Le péristyle jouxte lui-même plusieurs pièces situées en contrebas à l'est, vers le *cardo* X, et au sud, jusqu'à un mur rectiligne et continu est-ouest isolant de cet ensemble toute la partie sud de l'*insula* . Ce dernier état est le résultat d'un réaménagement complet de l'espace, qui recouvre une succession d'habitats sans doute depuis le Ier siècle, et qui ont conservé des restes de mosaïques géométriques ou végétales. Cette maison, installée à l'emplacement d'un cimetière punique, fut occupée au moins jusqu'au VIIe siècle et peut-être transformée à cette époque en bâtiments artisanaux.

La Maison de la Volière

Plus haut, on accède à une maison qui a subi d'importantes restaurations.

Dès l'entrée, c'est un magnifique panorama sur toute la partie côtière du site qui s'offre : le versant du plateau qui descend vers le rivage, la plaine littorale qui s'allonge jusqu'à La Goulette où s'éparpillent villas modernes au milieu

Mosaïque ornant le *viridarium* de la maison de la Voilière, présentant, dans un décor de jouchée, des volatiles et des fruits (détail).
Début du IIIe s. ap. J.-C. Musée du Bardo (détail).

Le péristyle de la maison de la Voilière, avec son jardin octogonal.

de jardins, le golfe enserré par la péninsule du Cap Bon et en tournant le regard légèrement à droite ; la colline dite de Junon cachant celle de Byrsa dont on aperçoit les grandes bâtisses (*Attention : il est interdit de photographier le palais présidentiel*).

La maison est délimitée par les *cardines* VIII-IX et le *decumanus* V, au sud, qui grimpe depuis le rivage jusqu'à la colline de l'odéon. Malgré ses vastes proportions, elle occupe seulement le quart de l'*insula* (environ 1200 m^2). Elle s'élève sur un palier horizontal obtenu au prix d'importants terrassements : dominant à l'est, grâce à un grand mur de soutènement sur le *cardo*, elle est adossée, à l'ouest, à une longue galerie souterraine qui s'enfonce sous le second *cardo*.

A l'intérieur, le plan de la maison se divise en deux parties d'égale superficie. La première est organisée autour d'une cour centrale à ciel ouvert entourée sur ses quatre côtés par un portique supporté par une colonnade et donnant successivement sur chacun des côtés, sur l'aile noble, le «cryptoportique», une terrasse, enfin le mur mitoyen de la seconde partie de la maison. Les salles de réception comprenaient à l'origine une belle salle d'apparat et une salle à manger précédée d'un vestibule. Un autel aux dieux domestiques trônait dans l'axe et un couloir comportant un escalier permettait d'accéder à l'étage supérieur. L'ensemble de ces pièces était pavé de diverses mosaïques.

Les transformations modernes ont remanié ce plan initial et l'ont simplifié. Le centre de la cour était occupé par un jardinet tandis que l'espace entre l'octogone du jardin et le carré du péristyle était pavé d'une mosaïque polychrome décorée de fleurs, fruits, quadrupèdes et volatiles, en particulier des paons. C'est le décor de cette mosaïque dont l'original est conservé au musée du Bardo qui a donné son nom à la villa. Sous cette cour, deux grandes citernes recueillaient les eaux pluviales provenant des terrasses.

La seconde partie de la maison s'organise autour d'une salle d'apparat. De grande dimension, cette salle de réception était encadrée de part et d'autre d'une aile constituée de deux pièces de service et de l'autre côté d'une pièce précédée d'une espèce de balcon donnant sur le paysage. Cette pièce d'apparat s'ouvre au nord sur un portique et donne sur le grand bassin dont le rebord a l'aspect d'un *pulpitum* de théâtre : alternance de cavités tantôt carrées tantôt semi-circulaires encadrant un plan d'eau alimenté dans le mur de fond par une série de cascatelles déversant de l'eau contenue dans des réservoirs. C'est là toute la configuration d'une scène de théâtre : une scène aquatique animée de fleurs, de plantes, de jets d'eau s'offrait ainsi à la vue du maître de céans et de ses invités.

En contrebas du mur de soutènement, l'angle des rues (dec*umanus* V et *cardo* IX) était bordé par des boutiques.

Au cours de la visite, on remarquera plusieurs sculptures en marbre recueillies sur le site de Carthage ou en dehors : une femme drapée, un buste cuirassé, une base de statue avec sa dédicace, un buste de Dionysos éphèbe, divers chapiteaux et un sarcophage à strigiles d'époque paléochrétienne.

La mosaïque aux chevaux

Le sol de la terrasse est aujourd'hui couvert d'un grand pavement où les panneaux de mosaïques alternent avec des marqueterie de marbre, découvert lors du percement d'une route, au pied de l'édifice aux colonnes (cf p. 73).

Ce pavement est constitué de deux parties : la bordure est illustrée d'une scène parodique d'amphithéâtre : les chasseurs sont des enfants travestis poursuivant des chats et des lapins.

Panneau représentant un cheval de course, avec l'inscription ANNIM/ AUR. Sur l'arbre, l'équipement d'un oiseleur: des bâtons englués et une cage, à laquelle est attaché un faucon, destiné à paralyser de frayeur les oiseaux qui s'approchent, pour permettre au chasseur d'enduire leurs ailes de colle. Le cheval s'appelait donc peut-être *Venator* (chasseur) ou *Auceps* (oiseleur).

Le tableau central est un échiquier utilisant deux techniques, l'*opus sectile* et la mosaïque. Chaque case est traitée alternativement selon l'une ou l'autre technique : l'une offre une composition géométrique polychrome, l'autre des tableaux représentant des personnages ou des chevaux de course.

Sur les 98 tableaux, 62 seulement sont conservés. Cet ensemble constitue un catalogue de chevaux, perpétuant peut-être le souvenir d'une course mémorable organisée entre les quatre équipes (*factiones*) habituelles : les bleus, les verts, les blancs, les rouges. Elle témoigne de la passion des Carthaginois pour le cirque et du goût de l'aristocratie dans l'Antiquité tardive.

Les scènes accompagnant les coursiers sont des images parlantes : chacune comporte une allusion au nom du cheval représenté. Au lieu de désigner, comme d'habitude, le cheval par son nom, la mosaïque le suggère par l'intermédiaire d'un personnage figuré -pris dans le monde divin, la mythologie ou la société-, de la représentation d'une scène ou bien des deux procédés à la fois. Il s'agit là d'un jeu de devinettes pour érudits, des sortes de rébus dont la résolution aidait à l'identification des chevaux. Ainsi dans le tableau (n° 9) où figure Dédale désignant son fils Icare en train de voler, on peut penser à un cheval nommé I*carus*. Dans un autre (n° 14), le chasseur avec son chien en laisse suggère le nom de *Venator* ; de même la scène des joueurs de dés (n° 21), celui d'*Aleator*. Cette idée originale, sans équivalent dans l'Antiquité, permettait au propriétaire de la maison d'introduire, de manière amusante et élégante, un répertoire de motifs extrêmement varié dans la parade de coursiers, quelque peu monotone, de sa salle de réception.

Ainsi ce pavement, tout en témoignant discrètement de l'érudition et de l'esprit inventif de l'hôte, contribuait-il sans doute à amorcer la conversation.

L'ODÉON

On pourra pousser jusqu'au site de l'odéon, détruit dès la fin de l'Antiquité. Ses vestiges ne sont plus visibles aujourd'hui et l'on devine seulement son emplacement.

L'odéon est un édifice de spectacle couvert, contrairement au théâtre qui était de plein air. Ses dimensions sont plus réduites mais il comporte les mêmes parties : face à la *cavea*, un orchestre, une scène et des vestibules, entourés d'une enceinte avec une façade percée de portes monumentales et précédée d'une cour avec portique. Mais le monument a été rasé presque jusqu'aux fondations ; lors de la fouille, il ne subsistait plus de tout cela que la moitié est de la fondation de la *cavea*. L'odéon comportait une décoration architecturale de grande qualité : statues et inscriptions ont été recueillies en abondance sous la scène, dans les citernes. Cet édifice fut construit en 207 ap. J.-C., pour célébrer les Jeux Pythiques ; il subit plusieurs restaurations jusqu'au VIe siècle. Par la suite, il servit de carrière, d'où le peu de vestiges conservés.

LE MONUMENT CIRCULAIRE

Entre la colline de Junon et le plateau de l'odéon, au flanc d'une petite gorge, à moins de 100 m du théâtre, se trouve l'un des plus énigmatiques monuments de Carthage ; ayant fait l'objet d'explorations depuis 1837, il a été fouillé de 1976 à 1982 par une équipe canadienne dans le cadre de la campagne internationale.

Cette rotonde, datée du milieu du IVe siècle après J.-C., est formée en plan de deux enceintes concentriques dodécagonales, constituées de piliers en forme de trapèze, et inscrites dans un rectangle dont les façades sont percées d'arches. On peut restituer deux anneaux voûtés concentriques, l'un entre les façades et la seconde enceinte, l'autre entre les enceintes ; la salle centrale était recouverte par une coupole.

Il s'agit vraisemblablement d'une *memoria*, c'est-à-dire d'un édifice funéraire commémoratif, d'époque paléochrétienne. Des parallèles peuvent être trouvés dans l'Antiquité tardive, les plus connus se trouvant en Terre Sainte (rotonde du Saint-Sépulchre et dôme du Rocher à Jérusalem, octogone de l'église de la Nativité à Béthléem), mais il n'est pas possible de connaître le (ou les) saint vénéré dans ce monument.

A l'ouest du monument circulaire furent également mis au jour les vestiges d'un édifice de plan basilical dont on distingue plusieurs états.

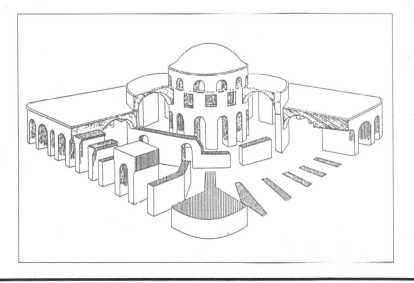

Restitution du monument circulaire (vue axonométrique), d'après les travaux de la mission canadienne.

L'édifice à colonnes, divisé en trois nefs par deux rangées de colonnes à chapiteaux corinthiens.

L'ÉDIFICE À COLONNES

Sur le côté gauche de l'autoroute GP 10, peu après le théâtre, en face de l'embranchement des routes qui mènent à La Marsa, se trouve un monument énigmatique.

Installé au flanc de la colline de Junon, cet édifice se présente une vaste salle rectangulaire divisée en trois nefs par deux rangées de colonnes à chapiteaux corinthiens, qui ont fait l'objet d'une anastylose. Sa destination est incertaine. On l'identifiait autrefois comme la palestre des thermes de Gargilius, où se réunit en 411 l'assemblée qui, sous la présidence d'Augustin d'Hippone, condamna le schisme donatiste ; mais cette hypothèse n'est plus retenue.

Cette salle hypostyle appartient à un ensemble plus large : elle jouxte une autre salle voûtée, connue par l'acclamation inscrite sur sa mosaïque : *Felix populus veneti* ; en contrebas, a été découverte la mosaïque aux chevaux (cf p. 00). Malgré la forte dénivellation entre le flanc de la colline et la mosaïque aux chevaux, il s'agirait d'un même ensemble architectural, installé le long du tronçon nord du *cardo maximus* : sur la terrasse du palier supérieur, une salle voûtée au plan carré et une salle rectangulaire aux colonnes jumelées, puis, en contrebas, autour d'une cour, une série de pièces dont l'une, un grand salon, était pavée de la mosaïque des chevaux. C'est au IVe siècle que tout ce secteur fut réaménagé en vue d'obtenir une complémentarité entre les constructions en hauteur (salle voûtée et édifice à colonnes) et les structures d'architecture domestique édifiées en contrebas (édifice de la mosaïque des chevaux).

L'iconographie des mosaïques est homogène : l'acclamation *Felix populus veneti*, «Vivent les Bleus» (*populus* désigne les supporters d'une équipe), le catalogue des chevaux de course et le millet plusieurs fois répété se rapportent au cirque. Il s'agit donc d'un monument unique en son genre, une sorte de «club» ou siège, à Carthage, des partisans de la «faction» des Bleus.

Mosaïque du cirque de Carthage (détail). IIIe s. ap. J.-C. Musée du Bardo.

LE QUARTIER NORD-OUEST

L'AMPHITHEATRE

Presqu'arasé et incomplètement remis au jour à la fin du XIXe siècle, cet édifice de spectacle, qui abritait des *munera* (combats de gladiateurs entre eux ou avec des bêtes) et des *venationes* (chasses), demeure mal connu. Du monument qu'admiraient les voyageurs au Moyen Age, ne subsistent plus que des substructions enfoncées dans un bois de pins : seuls l'arène elliptique et son mur d'enceinte, restauré, ont été dégagés. Ses dimensions ont pu être restituées : 136 m de longueur, 128 m de largeur, qui délimitent une arène de 67 x 37 m ; il se place donc au premier rang des amphithéâtres africains. On observera que l'arène est disproportionnée par rapport à la superficie totale : elle appartiendrait à un amphithéâtre primitif ; la *cavea* aurait en fait été élargie plus tard. Les installations souterraines sont peu visibles. On a estimé sa capacité à 36 000 spectateurs. Construit dès la fondation de la colonie, cet édifice a fait l'objet de transformations, au moins aux IIe et IVe siècles.

Contrairement à la tradition établie par les Pères Blancs, Perpétue et Félicité ne subirent pas le martyre à cet endroit, mais dans l'*amphitheatrum castrense*, sans doute une construction en bois d'un camp militaire, hors de la ville, qui n'a pas été retrouvée.

LE CIRQUE

Voisin de l'amphithéâtre, et situé, comme lui, à la périphérie de la ville, le cirque s'étire à travers la plaine jusqu'à Douar Chott. Les vestiges n'en sont pas visibles, mais il vient d'être fouillé par l'Université de Géorgie, de 1982 à 1987.

Au temps de sa splendeur, l'immense cirque (hippodrome) de Carthage était un bâtiment magnifique. Aujourd'hui, son plan n'est plus révélé que par les tranchées des récupérateurs de pierres, en négatif en quelque sorte. Son plan ressemble à celui du

Circus maximus à Rome. Les substructures de la *cavea* consistaient en une série de murs percés de baies, larges intérieurement de 4 mètres et placés à angle droits de l'arène. Les rangées des sièges peuvent avoir reposé directement sur les structures des voûtes des baies comme au Circus maximus. A l'arrière de la *cavea* courait une colonnade, avec des chapiteaux de marbre blanc (dont certains de style corinthien), et des bases et fûts très variés en pierres de couleur. Le sol de l'arène était constitué de terre battue, tassée, formant une surface dure propre à la course.

Trois phases ont été distinguées : une construction probable sous les Antonins ; un agrandissement à l'époque sévérienne, et une phase de réparation tardive, peut-être théodosienne. A l'époque sévérienne (fin IIe-début IIIe s.), on peut estimer sa capacité à 60 à 70 000 spectateurs. Ce cirque, de loin le plus grand des provinces, n'était surpassé que par les cirques de Rome.

Les courses de chars qui s'y déroulaient étaient très prisées par la population tout entière. Quatre factions -les rouges, les verts, les bleus et les blancs (cf p.69)- se partageaient l'enthousiasme des spectateurs. On peut avoir une idée de la violence des passions par des formules de malédiction gravées sur les tablettes magiques de plomb (*tabula defixionis*) retrouvées dans le sol de l'arène : «*Arrête l'élan et la vigueur de X et X, l'énergie et la vitesse de leurs chevaux. Enlève-leur la victoire : arrête leurs pieds. Enerve-les afin que demain, dans l'hippodrome, ils ne puissent ni courir ni tourner la borne, ni remporter la victoire, ni franchir la barrière de l'entrée du champ de courses, ni s'élancer dans la carrière...*». D'énormes prix récompensaient les auriges, mais les accidents fréquents empêchaient ces héros d'en profiter longuement.

Au début du VIIe siècle, lorsque le site fut abandonné comme lieu de spectacle, s'implanta un cimetière.

LE STADE

A une centaine de mètres au sud de l'amphithéâtre, la photographie aérienne a peut-être révélé l'emplacement du stade (piste de course à pied), mentionné par Tertullien, et dont aucune trace n'a jamais été retrouvée jusqu'ici. Ce monument se situerait ainsi entre l'amphithéâtre et le cirque.

LES CITERNES DE LA MALGA

Pour celui qui arrive à Carthage par la route de Tunis à La Marsa, les grandes citernes de la Malga se présentent au sommet d'une petite colline située à gauche .

Situés à la périphérie immédiate de la ville antique, ces impressionnants réservoirs d'eau comptent parmi les plus importants du site de Carthage ; mais ils n'ont fait l'objet d'aucune étude récente. Paraissant alimentées par l'aqueduc de Zaghouan, mais aussi peut-être par une source locale, ils consistent en une série de plusieurs immenses citernes parallèles entre elles, formant ensemble un bloc carré.

Dans le voisinage immédiat , on a repéré plusieurs monuments assez mal conservés et surtout des tombes. Elles s'étendaient de part et d'autre de la route actuelle et ont été fouillées à plusieurs reprises, depuis la fin du XIXe siècle. Appartenant à ce même ensemble, le cimetière de Bir el Jebbana ou des *officiales* - les fonctionnaires - a livré un abondant mobilier et de nombreuses épitaphes. Deux mausolées sont remarquables par leur décor en bas-relief stuqués (Musée du Bardo). L'un représente un licteur ou garde porteur de la hache entourée d'un faisceau de verges.

Près de là, au bord de la route à droite, une importante villa suburbaine a livré une mosaïque avec le nom de l'aurige Scorpianus.

Vue intérieure d'une des citernes de la Malga.

Carreaux paléochrétiens en terre cuite : *en haut*, le sacrifice d'Isaac ; *en bas*, un cerf.

LES QUARTIERS NORD ET NORD-EST

LA BASILIQUE DE DAMOUS EL KARITA

Le long de la route conduisant à Sidi Bou Saïd, sur la droite, en contrebas, se trouvent les ruines de la basilique chrétienne de Damous El Karita, la première fouillée à Carthage, dès 1878, par le Père Delattre.

Ce vaste ensemble cultuel comprend en fait deux basiliques et diverses dépendances ; mais il demeure mal connu et sa chronologie difficile à restituer. Les ruines de la basilique principale -la plus grande d'Afrique- présentent aujourd'hui un aspect très décevant : pour rechercher les tombeaux sous le sol des nefs, la fouille a déchaussé la plupart des murs. Ce bâtiment (65 x 45 m) a subi des remaniements. Il nous apparaît aujourd'hui divisé en de multiples nefs (neuf dans le sens de la largeur) par des lignes de colonnes dont il ne subsiste plus que les fondations. Deux nefs, très larges (12,80 m) se croisent au centre de l'édifice où l'on restitue une coupole ; elles se terminent chacune par une

La basilique de Damous el Karita.

abside au sud-est et au sud-ouest. Au cours de son histoire, l'édifice aurait subi diverses transformations : la première église, ne pouvant s'agrandir en longueur, aurait fait l'objet d'un changement d'orientation, puis lors d'un rétrécissement de l'édifice, on serait revenu à l'orientation primitive. L'église est précédée d'un *atrium* semi-circulaire bordé d'un portique, avec une fontaine octogonale au centre. Au fond de cet *atrium*, dans l'axe de l'église, s'ouvre une petite salle tréflée (ou trichore).

Derrière l'abside sud-ouest sont construits d'autres bâtiments que l'on n'a pas identifiés, si ce n'est un baptistère de forme hexagonale.

Les fouilles ont livré des milliers de fragments d'inscriptions, de sarcophages et surtout deux importants bas-reliefs en marbre, l'un représentant l'Annonce aux bergers, l'autre l'Adoration des mages, conservés au musée de Carthage.

La rotonde de Damous El Karita

Près de là, se trouve un édifice bien conservé : une rotonde souterraine d'un diamètre de 9,15 m, accessible par deux escaliers disposés symétriquement. Elle était entourée par seize colonnes de granit adossées au mur, séparées par des niches. Les colonnes portaient de remarquables chapiteaux décorés de protomés d'animaux, aigles et béliers. Ce souterrain ne constitue que le sous-sol d'une construction dont la partie supérieure, disparue, devait être une tholos entourée d'un déambulatoire et enfermée dans une enceinte carrée. La crypte aurait servi de baptistère : on y a décelé une arrivée d'eau. Mais cet édifice pourrait aussi être un tombeau de martyr ou de saint, accueillant les pèlerins, près d'une basilique funéraire.

MUR DE THEODOSE

Carthage fut pendant longtemps une ville ouverte. Mais, au début du Ve siècle, devant la menace barbare, on construisit à la hâte une muraille précédée d'un fossé qui entoure entièrement l'agglomération. Néanmoins cette enceinte ne détournera pas l'entrée des Vandales et leur installation dans la ville, de même qu'elle n'empêchera pas leur expulsion un siècle plus tard lors de la reconquête byzantine, ni la prise de la ville en 698. Cette enceinte a aujourd'hui disparu, démantelée pour l'exploitation de ses matériaux. Dans les fouilles de la campagne internationale, les archéologues ont cependant retrouvé certaines traces de ses fondations.

BASILICA MAJORUM

Située à quelques dizaines de mètres de la route de Sidi Bou Saïd à la Malga, avant d'atteindre le cimetière militaire américain, cette basilique, fouillée en 1906-1908, puis en 1929, est à peu près totalement réenterrée aujourd'hui et demeure mal connue.

Cette basilique, qui présente beaucoup d'analogie avec celle de Damous el Karita, se dressait dans un faubourg très exentrique, à l'emplacement d'une nécropole. L'ensemble est constitué d'un grand enclos (51 x 41 m) avec diverses constructions (mausolées et citernes), et de la basilique proprement dite (61 x 45 m sans l'abside). L'église comptait primitivement sept nefs, puis la réduction de la large nef centrale en créa deux supplémentaires. Au centre, l'élément le mieux conservé était la "confession", caveau souterrain (3,70 x 3,60 m) destiné au culte des martyrs, accessible par deux escaliers pour faciliter la circulation des pèlerins ; cette crypte était peut-être surmontée d'une coupole.

La fouille a fourni un nombre considérable d'inscriptions funéraires dont certaines mentionnant les martyrs Félicité, Perpétue et leurs compagnons ; il s'agirait ainsi de la *Basilica Majorum* mentionnée par Victor de Vita (c'est-à-dire «l'église des anciens»).

Mosaïque figurant la coupe d'une église, IVe s. ap. J.-C., découverte à Tabarka. On reconnaît l'entrée avec son escalier, la nef, l'autel où brûlent des cierges et le pavement orné de colombes. Musée du Bardo.

LA COLLINE DE SAINTE-MONIQUE-SAÏDA

Aujourd'hui occupée par des villas et les bâtiments du Lycée, la colline de Sainte Monique-Saïda devait être un parc archéologique

A l'époque romaine, cette partie nord de Carthage était couverte de jardins et de villas. L'une d'elles a été découverte en construisant le Lycée. Dans la pièce principale, une mosaïque représentait un personnage en buste (femme ou ange ?), auréolé d'un nimbe, vêtu d'une tunique recouverte d'un manteau de pourpre et tenant un sceptre. Surnommée la «Dame de Carthage», et conservée au musée de Carthage, ce portrait évoque une personnification d'idée philosophique, sujet à la mode en Orient à la fin de l'Antiquité (*cf dos de la couverture*).

On a également découvert sur cette colline ou au pied, une *fontaine* dite *aux mille amphores*, un *temple de Cérès*, plusieurs *chapelles* paléochrétiennes et surtout une de nombreux tombeaux puniques, chambres profondément creusées dans le roc sur tout le flanc oriental de la falaise. La fouille a livré un abondant mobilier et deux magnifiques sarcophages en marbre blanc représentant sur leur couvercle un prêtre et une prêtresse (Musée de Carthage).

Dans l'enceinte du palais présidentiel (on ne visite pas), se trouvent les immenses citernes de Borj Jdid, fort bien conservées, dont la capacité est estimée à 30 000 m^3.

LA KOBBAT BENT EL REY

Cet édifice, près du Lycée de Carthage, est accessible par la rue de la Liberté. Il vient d'être fouillé et restauré par une équipe allemande dans le cadre de la campagne internationale. (ce monument ne peut être visité qu'avec une autorisation spéciale).

La Kobbat Bent el Rey est une construction souterraine du début du IVe siècle ap. J.-C. Protégée au long des siècles des intempéries et des pilleurs de ruines, elle a conservé ses murs et ses voûtes presque intacts. Cet édifice occupe une partie de l'*insula* bordée par les *cardines* XIII et XIV et par les *decumani* VI et VII.

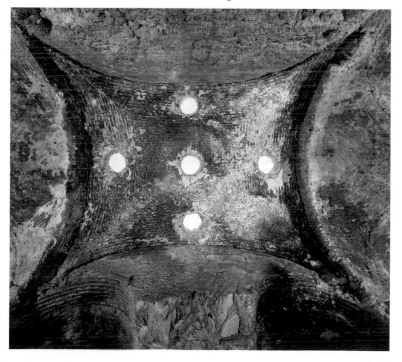

Voûte de la salle principale de la Kobbat Bent el Rey, réalisée en tubes de terre cuite.

L'ensemble est constitué d'une salle principale flanquée sur le côté ouest de deux petites pièces jumelles réutilisant l'espace de citernes. On accédait à ces salles, situées à 6 m environ sous le sol antique, par une alternance de rampes et d'escaliers. Au niveau du dernier palier est installé une sorte de guichet (accueil, réception ?).

Du riche décor de l'édifice subsistent des restes importants. Tous les sols étaient pavés de mosaïques polychromes, à l'exception de la partie centrale de la grande salle, revêtue d'un *opus sectile*. Un placage de marbre recouvrait aussi les parois. Les voûtes étaient décorées de fresques ; dans la petite salle sud, la voûte est ornée d'alignements floraux géométriques polychromes se détachant sur le fond clair et encadrant un tableau représentant un paysage, dont le cadre est surmonté par deux perroquets. L'aménagement somptueux de l'ensemble a été enrichi d'une fontaine décorative adossée au mur ouest de la grande salle dans l'axe de l'entrée. La grande salle (9,15 x 3,75 m), admirablement conservée, est couverte de trois voûtes sur trompes construites avec des tubes de terre cuite.

La fonction de ce lieu demeure incertaine : le plan de l'ensemble, sa position souterraine, la présence d'une fontaine, les thèmes du décor, les exèdres, font penser à un lieu d'agrément. La disposition de la réception suggère un certain contrôle, comme si l'édifice était destiné à un groupe social limité, une sodalité par exemple (ce que confirment peut-être des graffiti).

BASILIQUE DITE DE SAINT-CYPRIEN

A l'extrémité du plateau nord-ouest, une basilique chrétienne a été fouillée de 1915 à 1920.

L'église, perpendiculaire au rivage, se situait dans un faubourg de la ville. Ses restes, modestes, ne montrent pas une construction cohérente. Dans son dernier état, l'édifice est très vaste (36,65 x 80,35 m). La façade, précédée à l'est par un *atrium*, s'ouvre sur le golfe. Cet *atrium* était construit au-dessus d'une citerne, identifiée parfois à tort comme une salle souterraine. L'église comporte sept nefs et quatorze travées, séparées par des colonnes, et une abside flanquée de deux sacristies. Au centre de la nef principale, l'autel était abrité par un dais à quatre colonnettes (ou *ciborium*).

Une seconde église, de moindres dimensions, bordait peu-être l'édifice au nord-est. Un vaste cimetière où l'on a relevé plusieurs tombes en mosaïque, entourait l'église qui contenait elle-même de nombreuses sépultures.

La situation en bordure du rivage, a conduit à identifier la basilique avec celle où fut conservé le corps de l'évêque Cyprien, condamné à mort en 258. C'est là que Monique serait venue prier pendant que son fils, Augustin, s'embarquait à son insu pour l'Italie.

Sous la domination turque, un fortin fut bâti au-dessus de l'église et recoupe les murs en plusieurs endroits (façade sud-est et *atrium*).

BASSINS DE DAR SANIET

A mi-pente dans le vallon rouge d'Amilcar se trouve un curieux système d'installations hydrauliques.

Visibles au bord du chemin, quatre immenses réservoirs à ciel ouvert s'alignent, côte à côte, précédés en amont de trois autres, deux circulaires, le troisième allongé, et accostés en aval d'une chambre circulaire à vannes. L'eau, provenant d'une source toute proche, se déversait dans les premiers bassins où elle se décantait avant de passer aux grands réservoirs d'où elle s'écoulait, purifiée, vers la chambre des vannes. L'ensemble, la chambre de distribution non comprise, forme un bloc mesurant 25 x 27 m. Profonds de 9 m, ces réservoirs possédaient une capacité d'environ 3 000 à 3 500 m^3.

LE MUSEE NATIONAL
DE CARTHAGE

Les objets découverts à Carthage sont conservés soit au musée du Bardo (fouilles du Service des Antiquités), soit au musée de Carthage (fouilles anciennes des Pères Blancs ou fouilles récentes de la campagne internationale). Ce dernier est la plus vieille institution du genre en Tunisie. En attendant la fin de sa réorganisation complète, nous donnons ici un aperçu de la richesse de ses collections.

Premier étage
Salle d'introduction *(à gauche en haut de l'escalier)*
Les lampes, nombreuses, permettent une chronologie de Carthage
La suite de cette salle est divisée en grandes périodes : punique (sable), romain (bleu), chrétien (saumon) et arabe (vert).
Carthage punique : Objets, provenant pour la plupart des nécropoles: céramique archaïque, vases miniatures, bijoux, amulettes, ivoires, figurines en terre cuite, importations égyptiennes et grecques.
Carthage romaine : Objets des Ier-IVe siècles ap. J.-C. : céramiques (dont la sigillée, de couleur rouge), verrerie, lampes et fragments de décor architectural ; sculptures en marbre (Déméter; portraits impériaux).
Carthage paléochrétienne et byzantine : Lampes, verrerie, moules de médailles, clés, figurines, ivoires, carreaux de terre cuite.
Carthage arabe : L'occupation du site après la conquête (vaisselle à glaçure).

Salle punique *(à droite en face de l'escalier)*
Une maquette du tophet montre les trois niveaux d'occupation de cette aire sacrificielle. On trouve également un choix de stèles votives, des masques en terre cuite, des statuettes, des objets locaux (céramique, tabletterie, rasoirs en bronze) ou importés (Grèce, Egypte).

Rez-de-chaussée
Stèles et sarcophages puniques *(salle de droite en entrant)*
Les nécropoles (Byrsa, colline de Junon, plateau de l'Odéon, Borj Jdid et Sainte-Monique-Saïda) ont livré des sarcophages et des stèles.

Science et archéologie *(salle en face de l'entrée)*
Cette salle thématique, montre les rapports entre la science moderne et les objets archéologiques : restauration, analyse, datation.

Salle paléochrétienne *(à gauche en entrant)*
Découverts dans les basiliques, nombreuses mosaïques funéraires, épitaphes et éléments architecturaux. Parmi les sculptures, deux panneaux en relief (l'Adoration des mages et l'Annonciation). Importante collection de carreaux en terre cuite. Mosaïque de la Dame de Carthage.

Musée de Carthage : masque, sculpture et terre cuite puniques, sculpture romaine (Silène et nymphe), objets chrétiens et céramique musulmane.

AUTRES VISITES

Ce guide est consacré au site archéologique de Carthage, mais la banlieue nord, outre ses plages et ses endroits de villégiature -Sidi Bou Saïd, La Marsa et Gammarth- offre encore d'autres centres d'intérêt, notamment quelques monuments anciens ou curieux

CARTHAGE : Ancienne basilique primatiale, dominant la colline de Byrsa, près du Musée (installé dans l'encien scholasticat des Pères Blancs). L'édifice, en croix latine, de style byzantino-mauresque, avec sa façade flanquée de deux tours carrées, à trois grandes nefs abritait notamment un autel consacré à saint Augustin et le tombeau du cardinal Lavigerie, primat d'Afrique- dont les restes ont été transférés à Rome. Désaffecté depuis 1964, ce bâtiment est aujourd'hui destiné à des activités culturelles ; **Beit el Hikma** (la maison du savoir), près de la mer, face au quartier Magon, ancienne demeure beylicale, abrite l'Institut d'histoire des textes (on ne visite pas) ; **le Musée océanographique de Salammbô**, entre les deux ports puniques, présente de grands aquariums avec une remarquable collection de poissons vivants ; **Palais présidentiel :** le Président de la République tunisienne réside à Carthage, dans un palais installé au milieu d'un parc, au bord de la mer, sur la colline de Borj Jdid. Une villa construite par le Corbusier est incluse dans le périmètre du palais (visite interdite).impressionnant **cimetière américain** commémorant le souvenir des soldats tombés en Afrique du Nord pendant la seconde guerre mondiale. S'y trouve exposée une mosaïque figurant Neptune, provenant d'Acholla (région de Sfax).

SIDI BOU SAÏD : Le village, lieu de pèlerinage autour du tombeau d'Abou Saïd, qui culmine au mois d'août avec la fête de la kharja, est le terme obligé de la visite au site archéologique de Carthage. Avec ses maisons blanches et son architecture marquée par l'empreinte andalouse, il est depuis la fin du siècle dernier très fréquenté par de nombreux peintres, poètes et écrivains. La villa du baron d'Erlanger (musicologue) abrite un centre consacré à la musique traditionnelle. Palais et maisons du XVIIIe siècle, mausolées, ruelles, puits, fontaines, phare. Sans oublier les cafés où l'on déguste le thé aux pignons : Café des Nattes (ou Café d'en Haut) ; Café Chabane (remarquable vue sur le golfe).

LA MARSA : Bâtiments de l'époque beylicale ; Café saf-saf ; résidences d'ambassadeurs (France, Grande-Bretagne) ; palais accueillant les hôtes officiels de la Tunisie ;

GAMMARTH : Remarquables points de vue sur le golfe ; catacombes cimetière militaire français.

LA GOULETTE : Port ; forteresse de Charles V ; statue équestre de l'ancien président de la République tunisienne, Habib Bourguiba, érigée autrefois Place d'Afrique à Tunis. Maisons anciennes, quartiers pittoresques et restaurants populaires (poissons).

En haut : porte de Sidi Bou Saïd ; *au centre* : cour et coupoles du mausolée d'Abou Saïd ; *en bas*, la villa du Baron d'Erlanger.

LEXIQUE

abside : partie en demi-cercle d'une salle.

aurige : conducteur de char de course.

basilique civile : bâtiment servant de tribunal et de bourse de commerce.

bétyle : dans le monde sémitique, pierre oblongue érigée dans un but religieux.

caldarium : dans les thermes, salle de bains chauds par immersion.

capitole : temple dédié à la triade capitoline (Jupiter, Junon et Minerve).

cardo (pl. *cardines*) : voie de direction nord-sud

cavea : partie du théâtre, de l'amphithéâtre ou du cirque destinée à recevoir les spectateurs.

cippe : petite colonne avec une inscription, marquant une sépulture

cothon : à l'époque punique, port consistant en un bassin artificiel

decumanus (pl. *decumani*) : voie de direction est-ouest.

exèdre : construction de forme semi-circulaire ou rectangulaire, dotée de banquettes.

ex-voto : objet ou inscription offert aux dieux en accomplissement d'un vœu.

forum : place publique, bordée de monuments, centre de la vie politique, religieuse et commerciale de la cité.

frigidarium : dans les thermes, la plus grande salle, avec des piscines d'eau froide.

hypocauste : système de chauffage par le sol.

insula : îlot d'habitation.

latrines : lieux d'aisance.

Magon : nom de plusieurs généraux carthaginois, dont le frère d'Hannibal.

marabout : lieu saint, tombeau faisant l'objet d'une vénération.

natatio : dans les thermes, grande piscine à l'air libre.

nymphée : grotte aménagée, fontaine monumentale.

œcus : salle de réception d'une maison.

opus figlinum : sol formé de petits carreaux de terre cuite

opus sectile : pavement de marbre découpé formant un décor géométrique ou figuré.

orchestra : partie centrale du théâtre, entre la scène et la *cavea*.

palestre : dans les thermes, cour bordée de portiques, pour les exercices sportifs.

péristyle : ensemble de portiques entourant une cour ou un jardin.

proscænium : dans le théâtre, façade décorée de la scène donnant sur l'*orchestra*.

sebkha : lagune, marais ou nappe d'eau salée.

sodalité : groupement d'individus, à la fois association funéraire, collège religieux et confrérie organisant les jeux.

stèle : petit monument funéraire ou votif, souvent orné.

strigiles : cannelures en forme de S ornant les sarcophages paléochrétiens.

tabletterie : travail de l'os et de l'ivoire.

tepidarium : dans les thermes, salle tiède.

tholos : édifice de plan circulaire, religieux, civil ou funéraire.

tophet : aire sacrificielle à ciel ouvert où les victimes (enfants ou animaux) sont immolées par le feu.

triclinium : salle à manger de la maison romaine.

venatio (pl. *venationes*) : dans l'amphithéâtre, chasse, exhibition d'animaux.

viridarium : jardin intérieur d'une maison romaine.

RENSEIGNEMENTS PRATIQUES

Pour visiter les différents sites de Carthage, une journée entière est nécessaire. On commencera le matin par la colline de Byrsa et le Musée national de Carthage, pour emprunter ensuite l'itinéraire qui est celui de ce guide. En soirée, on pourra se rendre à Sidi Bou Saïd.

Antiquarium des ports puniques : Salammbô. Ouvert tous les jours sauf jours fériés, de 8 h à 19 h.

Fouilles de Byrsa : Mêmes horaires que le Musée National de Carthage.

Musée National de Carthage : Tél. 730.036. Ouvert tous les jours sauf jours fériés, de 8 h à 19 h en été et de 9 h à 17 h en hiver.

Musée océanographique : Salammbô. Ouvert tous les jours sauf lundi et jours fériés, de 14 h à 17 h (le dimanche de 10 h à 12 h et de 14 h à 17 h), en été ou 16 h en hiver.

Musée romain et paléochrétien : Avenue Bourguiba. Ouvert tous les jours sauf jours fériés, de 8 h à 19 h.

Parc archéologique des Thermes d'Antonin : Ouvert tous les jours , de 8 h à 19 h en été et de 8 h à 17 h en hiver.

Parc des villas romaines : Ouvert tous les jours, de 8 h à 19 h en été et de 9 h à 17 h en hiver.

Quartier Magon : Ouvert tous les jours, de 8 h à 19 h en été et de 9 h à 17 h en hiver.

Tophet : Ouvert tous les jours , de 8 h à 19 h en été et de 8 h à 17 h en hiver.

T.G.M. : Tunis - Goulette-Marsa. Gare tél. : 244.685.

Stations : Tunis, Le Bac, La Goulette Vieille, La Goulette Neuve, Goulette Casino, Khereddine, Aéroport Palais des Expositions (N.B. : ne dessert pas l'aéroport moderne de Tunis-Carthage), Le Kram, Salammbô, Byrsa, Dermech, Carthage Hannibal, Carthage Présidence, Amilcar, Sidi Bou-Saïd, Sidi Dhrif, Corniche, La Marsa.

Poste de Carthage : Rue Septime-Sévère (près des Thermes d'Antonin). Tél. 275.791.

Supermarchés à Cathage-Dermech et La Marsa
Commerces divers au Kram, à Sidi Bou Saïd et La Marsa.

Hôtels à Carthage, Sidi Bou Saïd, La Marsa et Gammarth.
Restaurants à Carthage, Sidi Bou Saïd, La Marsa, Gammarth.
L'Acropolium ex-cathédrale de Carthage.

5.Bibliographie

A. AUDOLLENT, *Carthage*, Paris-Rome, 1901.

G.-Ch. PICARD, *La Carthage de saint Augustin*, Paris, Fayard, 19..

A. LEZINE, *Les thermes d'Antonin*, Tunis, STD.

F. DECRET, *Carthage ou l'empire de la mer*, Paris, Seuil, 1976.

S. LANCEL, *Carthage*, Paris, Fayard, 1992 [Carthage punique à la lumière des fouilles récentes].

A. ENNABLI, éd., *Pour sauver Carthage*, Unesco, 1992 [présentation très complète des résultats de la campagne internationale].

M'hamed Hassine FANTAR, *Carthage, approche d'une civilisation*, Tomes 1 et 2, Alif, Les Editions de la Méditerranée 1993.

Azedine BESCHAOUCH, *La Légende de Carthage* Découvertes, Gallimard 1993.

A. ENNABLI, J. PEREZ, G. FRADIER, Carthage retrouvée, Cérès Editions 1995.

CARTHAGE
retrouvée

Abdelmajid Ennab
Georges Fradie
Jacques Pérez

NOUVEAU

Le grand livre de Carthage

TEXTES : Abdelmajid ENNABLI,
Conservateur du site de Carthage
PHOTOS : Jacques PÉREZ

cérès
EDITIONS